texto 2

méthode de français **A2**

Cahier d'activités

Marine Antier

Corina Brillant

Sophie Erlich

Marie-José Lopes

Jean-Thierry Le Bougnec

hachette
FRANÇAIS LANGUE ÉTRANGÈRE

Crédits photographiques

Photo de couverture : © Nicolas Piroux

Photos de l'intérieur du manuel :
• Page 11 : « Bouger c'est la santé » © INPES.
• Page 33 : 6 : Antoine Doinel © Roger Viollet.
9: *Les Parapluies* © The National Gallery, Londres, Dist. – © RMN-Grand Palais / National Gallery Photographic Department ; *Danseuse créole*, Matisse Henri (1869-1954) © RMN-Grand Palais / Gérard Blot ; *La sieste* © The Metropolitan Museum of Art, Dist. – © RMN-Grand Palais / Image of the MMA.
• Page 57 : Logo Parc National de la Vanoise © Parc Nationale de la Vanoise ; Logo Parc Amazonien de Guyane © Parc Amazonien de Guyane.
• Page 60 : Ecogite © Christian Lorenzetti / gitemercantour.fr.
• Page 68 : Logo pôle emploi © pôle emploi.
• Page 86 : *L'éléphant,* Jean-Pierre Salle, Nantes Just Imagine.
• Autres : © Shutterstock.

Œuvre de Matisse : © Succession H. Matisse.

Couverture : Nicolas Piroux

Conception graphique : Nicolas Piroux / Sylvie Daudré

Mise en page : Sylvie Daudré

Secrétariat d'édition : Astrid Rogge

Illustrations :
Corinne Tarcelin p. 4, 8, 11, 15, 25, 26, 27, 35, 79, 81, 89, 90, 95

Enregistrements audio, montage et mixage : Qualisons (D. Hassici) et J. Bonenfant pour la maîtrise d'œuvre

Tous nos remerciements à Nelly Mous pour l'épreuve DELF A2.

ISBN 978-2-01-401588-1

Sommaire

Dossier 1 **S'engager** 04

Leçon 1 04
Leçon 2 08
Leçon 3 12
Bilan 16

Dossier 2 **Voyager** 18

Leçon 5 18
Leçon 6 22
Leçon 7 26
Bilan 30
Faits et gestes / Culture 32

Dossier 3 **Raconter** 34

Leçon 9 34
Leçon 10 38
Leçon 11 42
Bilan 46

Dossier 4 **S'exprimer** 48

Leçon 13 48
Leçon 14 52
Leçon 15 56
Bilan 60
Faits et gestes / Culture 62

Dossier 5 **Travailler** 64

Leçon 17 64
Leçon 18 68
Leçon 19 72
Bilan 76

Dossier 6 **Vivre** 78

Leçon 21 78
Leçon 22 82
Leçon 23 86
Bilan 90
Faits et gestes / Culture 92

Dossier 7 **Consommer** 94

Leçon 25 94
Leçon 26 98
Leçon 27 102
Bilan 106

Dossier 8 **Discuter** 108

Leçon 29 108
Leçon 30 112
Leçon 31 116
Bilan 120
Faits et gestes / Culture 122

PORTFOLIO 124

DELF 126

TRANSCRIPTIONS 132

Bien sûr...

Leçon 1

Comprendre

Un forum

1 Lisez les messages et répondez aux questions.

> **Forum**
>
> Petites annonces - Jobs, services, bénévolat
>
> **Coco** – Étudiante – 20 janvier 2014
> Bonjour, je suis une nouvelle étudiante de l'université et je cherche des personnes pour faire du sport avec moi. Je joue au tennis et je fais du jogging. Qui est intéressé ?
>
> **Nath** – Étudiante – 21 janvier 2014
> Coco, je n'aime pas faire du jogging, je préfère la marche. Mais je joue au tennis ! Je fais aussi de l'équitation si ça te dit.
>
> **Brad** – Étudiant – 21 janvier 2014
> Salut Coco ! Désolé, moi je fais du foot. 😊
>
> **Kathy** – Étudiante – 22 janvier 2014
> Salut Coco, je fais un régime et je dois aussi faire du sport : on peut faire du jogging ensemble si tu veux. Il y a un parc sympa à côté de l'université. Ça te dit ?
>
> **Coco** – Étudiante – 22 janvier 2014
> Bonjour à tous, merci pour vos réponses. Oui, ça me dit Kathy ! Rendez-vous demain à 17 h 00 devant le parc ?
> Nath : OK pour le tennis, mais non merci pour l'équitation : j'ai peur des chevaux. 😞

a Vrai ou faux ? Cochez la bonne réponse.

	V	F
1 C'est un forum pour les professeurs de l'université.	☐	☐
2 Coco cherche des personnes pour pratiquer une activité physique.	☐	☐
3 Kathy veut maigrir.	☐	☐
4 Coco va rencontrer Nath et Brad.	☐	☐

b Qui pratique quel sport ? Associez.

Coco ■   Nath ■   Brad ■   Kathy ■

■ **1**    ■ **2**   ■ **3**   ■ **4**    ■ **5**

Pour...

→ Dire quel sport on pratique

Le jogging, l'aïkido :
Je fais **du** jogging, **de l'**aïkido.
La voile, l'équitation :
Je fais **de la** voile, **de l'**équitation.
Le tennis :
Je joue **au** tennis.

→ Parler du futur

À partir d'aujourd'hui, je ne mangerai plus au restaurant le midi.
L'été prochain / L'année prochaine, je ferai de la voile.
Cet été, on jouera au tennis.
Dans un an, j'arrêterai de travailler une heure plus tôt.

Les mots...

De la nutrition

une brioche
gros (grosse)
un régime
(faire un régime)
maigrir

Du sport

le surf / la voile
le tennis
la marche / le jogging
le golf
le foot
la natation
le fitness

Les projets

2 Écoutez et dites si les personnes font un constat ou parlent d'un projet. 02

	a	b	c	d	e	f
Un constat	☐	☐	☐	☐	☐	☐
Un projet	☐	☐	☐	☐	☐	☐

▌Vocabulaire ─────────────────────────────────

Les mots de la nutrition

3 Complétez le dialogue avec : *maigrir, gros, une brioche, une tranche, un régime.*

– Tu veux .... de pain ou .... ?

– Non, merci.

– En général, tu manges le matin. Tu n'as pas faim ?

– Si, mais je trouve que je suis un peu .... J'ai décidé de ....

– Fais du sport !

– Non. Je préfère faire ....

4 Regardez la photo et retrouvez : *le café, le beurre, la brioche, la confiture, le jus d'orange.*

Les mots du sport

5 Associez chaque sport à un dessin.

le surf ■   le foot ■   la natation ■   le tennis ■   le golf ■

■   ■   ■   ■   ■

a   b   c   d   e

5

Grammaire

Le futur simple

6 **Entourez les 4 verbes irréguliers et conjuguez-les.**

jouer – manger – aller – marcher – être – aimer – avoir – arrêter – pouvoir – maigrir

je/j'	....	....	....	....
tu	....	....	....	....
il/elle/on	....	....	....	....
nous	....	....	....	....
vous	....	....	....	....
ils/elles	....	....	....	....

7 **Conjuguez les verbes entre parenthèses au futur simple.**

a L'année prochaine, je *(jouer)* .... au tennis plus souvent et j' *(aller)* .... à la piscine.

b À partir d'aujourd'hui, tu ne *(prendre)* .... plus le bus pour aller au travail,

tu *(marcher)* ....

c Cet été, nous *(acheter)* .... un bateau et nous *(faire)* .... de la voile.

d Dans un an, vous *(étudier)* .... à l'université et nous nous *(voir)* .... moins souvent.

e Cet automne, ils *(arrêter)* .... de travailler et ils *(venir)* .... à Nantes.

f L'hiver prochain, on *(s'inscrire)* .... dans une salle de sport et on *(maigrir)* ....

L'hypothèse dans le futur

8 **Entourez les formes correctes.**

a Si tu t'*inscris / inscriras* dans une association, tu *rencontres / rencontreras* de nouvelles personnes.

b Nous *allons / irons* à la piscine, si nous *avons / aurons* le temps.

c Si je *fais / ferai* un régime, je *maigris / maigrirai*.

d Nous *pouvons / pourrons* faire du sport ensemble, si vous *voulez / voudrez*.

Grammaire

Le futur simple

On utilise le futur simple pour faire des projets, prendre des résolutions.
*L'année prochaine, je **m'inscrirai** dans une association.*

Formation : infinitif + *-ai, -as, -a, -ons, -ez, -ont*.
*jouer : je jouer**ai** – partir : je partir**ai** – prendre : je prendr**ai***

Jouer

je jouer**ai**	[ʒuʀe]	nous jouer**ons**	[ʒuʀɔ̃]
tu jouer**as**	[ʒuʀa]	vous jouer**ez**	[ʒuʀe]
il/elle/on jouer**a**	[ʒuʀa]	ils/elles jouer**ont**	[ʒuʀɔ̃]

Futurs irréguliers : *aller : j'irai –
avoir : j'aurai – être : je serai – faire : je ferai –
pouvoir : je pourrai – savoir : je saurai –
venir : je viendrai – voir : je verrai*

L'hypothèse dans le futur

On exprime une hypothèse avec :
si *+ verbe au présent + verbe au* futur simple.
Si j'arrête de manger, je maigrirai.
(Je maigrirai **si** *j'arrête de manger.)*

6

| Communiquer _____

Pour dire quel sport on pratique

9 Répondez au message de Coco (activité 1 p. 4) : proposez 3 sports qu'elle ne pratique pas.

Forum	Petites annonces – Jobs, services, bénévolat
	....
	Salut Coco !
	....
	....

Pour parler du futur

10 Participez au jeu-concours : complétez le formulaire.

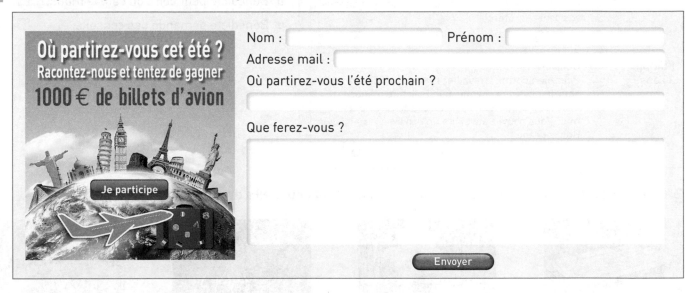

Où partirez-vous cet été ?
Racontez-nous et tentez de gagner
1000 € de billets d'avion
Je participe

Nom : [   ]   Prénom : [   ]
Adresse mail : [   ]
Où partirez-vous l'été prochain ?
[   ]
Que ferez-vous ?
[   ]

Envoyer

11 Qu'est-ce que vous ne ferez pas demain ?

....

....

| Phonétique _____

Les sons [s] et [z]

12 Écoutez. Combien de fois entendez-vous les sons [s] (comme dans <u>s</u>ki) et [z] (comme dans *dou<u>z</u>e*) dans les phrases ?

	a	b	c	d	e
[s] comme dans <u>s</u>ki	....	....	....	....	....
[z] comme dans *dou<u>z</u>e*	....	....	....	....	....

13 Écoutez encore une fois les phrases et répétez.

Leçon 2 | Votre santé

| Comprendre _____

Les conseils

1 Vrai ou faux ? Lisez les 2 messages et cochez la bonne réponse.

Forum » Insomnie

Bénédicte 35 ans	Bonjour, J'ai un grand problème : je dors très mal ! Le soir, quand je me couche, je ne peux pas m'endormir et je me réveille plusieurs fois par nuit. Je travaille beaucoup, j'ai des journées très chargées. J'attends vos conseils. Merci !
	posté le 02/03/14 à 9:20 ❗Alerter 💬 Répondre
Philippe 30 ans	Bonjour, Pour bien dormir, travaillez moins et pratiquez une activité physique chaque jour. Évitez de manger beaucoup le soir et ne prenez pas de café après midi. Vous pouvez aussi lire un bon livre. Bon courage !
	posté le 02/03/14 à 11:11 ❗Alerter 💬 Répondre

	V	F
a Bénédicte travaille mal.	☐	☐
b Bénédicte se sent fatiguée.	☐	☐
c Bénédicte ne doit pas manger le soir.	☐	☐
d Bénédicte peut boire du café le matin.	☐	☐
e Bénédicte demande des conseils.	☐	☐

2 Écoutez et cochez les dessins qui correspondent aux conseils donnés. 04

a ☐

b ☐

c ☐

d ☐

e ☐

f ☐

g ☐

h ☐

Pour...

→ Donner des conseils (1)

*Vous **devez** manger des fruits et des légumes.*
*Vous **ne devez pas** manger entre les repas.*
*Il **faut** manger dans le calme.*
*Il **ne faut pas** boire d'alcool.*
Promenez-vous.
***Prenez** les escaliers.*
***Ne prenez pas** / **Évitez** l'ascenseur.*

→ Exprimer le but

*Il faut bien manger **pour** être en forme.*

Les mots...

Du bien-être, de la santé

se sentir bien ≠ se sentir mal
se trouver en forme
être / ne pas être bien / en forme
avoir mal à...

Le but

3 **Associez chaque but à un conseil.**

    a Pour maigrir, ▊

b Pour faire de la gym, ▊

    c Pour bien manger, ▊

    d Pour bien bouger, ▊

▊ **1** il faut marcher 30 minutes par jour.

▊ **2** il faut manger équilibré.

▊ **3** il faut s'inscrire dans un club.

▊ **4** il faut manger moins.

▎**Vocabulaire** ─────────────────────────────

Les mots du bien-être, de la santé

4 **Complétez le document avec :** *un jus de fruit, un café, une tranche de pain, un fruit, un produit laitier, un thé, des céréales, du lait.*

5 **Barrez l'intrus.**

  a changer la forme – garder la forme – se trouver en forme

  b faire du sport – faire de l'exercice – faire de la musique

  c être fatigué – être mauvais – se sentir mal

6 **Complétez le dialogue avec :** *éviter, bouger, ne pas oublier, changer.*

– Cette année, je vais .... de vie !

– Ah bon ? Tu vas laisser ta voiture au garage ?

– Eh oui ! Ce sera vélo et marche, pour .... plus !

– Ah ! Mais, tu sais, il faut aussi .... le grignotage...

– Oui, c'est vrai ! Regarde, il est midi ! On va manger ? .... les repas, c'est important !

——| Grammaire ————————————————————————————

L'impératif des verbes pronominaux

7 Conjuguez les verbes à l'impératif.

verbes	tu	vous
s'amuser	....	....
s'arrêter	....	....
s'inscrire	....	....
se préparer	....	....
se promener	....	....

L'impératif négatif

8 Reformulez ces conseils à l'impératif et à la personne indiquée entre parenthèses.

a Ne pas prendre la voiture. *(tu)*

....

b Ne pas manger de confiture. *(tu)*

....

c Ne pas arrêter le sport. *(vous)*

....

d Ne pas boire d'alcool. *(vous)*

....

Les verbes *devoir, boire* et *falloir* au présent

9 Reformulez les conseils avec *devoir*.

a Il faut acheter un bateau.

Je ....

b Il faut demander conseil au médecin.

Tu ....

c Il faut aller dans un club de gym.

Il ....

d Il faut prendre le vélo.

Nous ....

e Il faut boire beaucoup d'eau.

Vous ....

f Il faut pratiquer une activité physique.

Ils ....

10 Complétez le dialogue avec le verbe *boire*.

– Julie et François, vous .... quoi le matin ?

– Moi, je .... du café et François .... du thé.

– Et les enfants .... du chocolat ?

– Oui. Et toi, tu .... du café ?

– Non, un jus de fruit.

– Ah ! Nous, nous ne .... pas de jus de fruit le matin !

---

texto

Grammaire

L'impératif des verbes pronominaux

Se promener : **Promène-toi. Promenez-vous.**
S'inscrire : **Inscris-toi. Inscrivez-vous.**

L'impératif négatif

ne (n') + impératif + **pas**
Ne prenez **pas** l'ascenseur.
N'oubliez **pas** le petit déjeuner.

Les verbes *devoir, boire* et *falloir* au présent

	Devoir	Boire	Falloir
je/tu	dois ⎱ [dwa]	bois ⎱ [bwa]	
il/elle/on	doit ⎰	boit ⎰	il faut [fo]
ils/elles	doivent [dwav]	boivent [bwav]	
nous	devons [dəvɔ̃]	buvons [byvɔ̃]	
vous	devez [dəve]	buvez [byve]	

❘ Communiquer

Pour donner des conseils

11 Comment faire une activité physique régulière sans
être sportif ? Pour répondre à cette question, écrivez
un petit article dans le journal de votre école. Observez
l'affiche, repérez les 6 conseils pour être en bonne
santé et reformulez avec *devoir*, *il faut* et l'impératif.

....
....
....
....
....
....
....
....
....

Bouger, c'est la santé !

Aller acheter le pain à vélo.

Prendre l'escalier.

Sortir son chien.

Au moins l'équivalent de **30 minutes** de marche rapide **chaque jour** protège votre santé.

Accompagner les enfants à l'école à pied.

Profiter du soleil pour jardiner.

Faire une balade en famille.

NOTRE CORPS A FAIM DE SANTÉ

12 Ces personnes ont un problème et demandent des conseils à un(e) ami(e).
Choisissez une situation et imaginez le dialogue.

 a
 b
 c

Pour exprimer le but

13 Dites dans quel but on réalise ces actions.

a On fait du sport pour ....
b On prend un petit déjeuner équilibré pour ....
c On arrête de fumer pour ....
d On évite le grignotage pour ....

❘ Phonétique

Les sons [s] et [z]

14 Classez ces fruits et ces légumes en fonction de leur prononciation : [s] (comme dans
pamplemousse) ou [z] (comme dans *raisin*).

	a fraise	**b** citron	**c** ananas	**d** framboise	**e** salade	**f** maïs
[s] comme dans *pamplemousse*	☐	☐	☐	☐	☐	☐
[z] comme dans *raisin*	☐	☐	☐	☐	☐	☐

Leçon 3 | S'investir

| Comprendre ———————————

Une conversation téléphonique

1 Écoutez la conversation entre Renée et Sonia et choisissez les réponses correctes. ⏹ 05

   a Dans quelle association Sonia veut-elle s'engager ?

croix-rouge française

LES RESTAURANTS DU COEUR — LES RELAIS DU COEUR

ACTION CONTRE LA **FAIM**

   1 ☐   **2** ☐   **3** ☐

   b Sonia téléphone à Renée parce qu'elle a vu une annonce dans le métro.

      ☐ Vrai   ☐ Faux

   c Sonia veut faire du bénévolat :

      ☐ **1** parce que son amie Renée fait du bénévolat.

      ☐ **2** parce qu'elle a beaucoup de temps.

      ☐ **3** pour aider un peu les autres.

      ☐ **4** pour donner à manger aux femmes dans la rue.

Une affiche

2 Observez l'affiche et répondez aux questions.

   a Qui est Juliette ? ....

   b Pourquoi la vie de Denise est-elle différente maintenant ?

   ....

   c Quel est le but de cette affiche ?

      ☐ **1** Faire connaître l'association.

      ☐ **2** Trouver de nouveaux bénévoles.

      ☐ **3** Parler de Juliette et de Denise.

Grâce à Juliette, Denise vit ses vacances autrement qu'en carte postale.

Depuis qu'elle a rencontré les petits frères des Pauvres, tout a changé pour elle... Depuis 1946, les petits frères des Pauvres accompagnent, dans une relation fraternelle, des personnes - en priorité de plus de 50 ans - souffrant de solitude, de pauvreté, d'exclusion, de maladies graves.

Vous aussi, devenez bénévole !

Appelez le :   Flashez ce code :

▶ N° Indigo **0 825 833 822**

0.15 € TTC / MN

les petits frères des Pauvres

→ Expliquer une décision

Parce que je veux m'investir.
Parce que le bénévolat, *c'est* important.
Pour donner des cours.
Il ne faut pas / Il faut tout faire pour de l'argent.
C'est un engagement.
C'est avoir un rôle social, *par exemple*.

De l'engagement personnel

s'engager / s'investir dans une association
se sentir utile
être responsable
être citoyen
avoir un rôle social
être bénévole
le bénévolat

Une explication

3 Barrez les mauvaises raisons de devenir bénévole dans une association.

a Pour gagner de l'argent.

b Pour se rendre utile.

c Pour avoir des amis.

d Parce qu'on est citoyen.

e Parce qu'on aime aider les autres.

f Parce qu'on ne sait pas quoi faire le week-end.

▌Vocabulaire

Les mots de l'engagement personnel

4 Barrez les 2 intrus.

s'engager – faire du bénévolat – investir – être utile – s'investir – proposer son aide – associer – faire du soutien scolaire – penser aux autres – être bénévole – travailler gratuitement

5 Retrouvez les 8 mots de l'engagement.

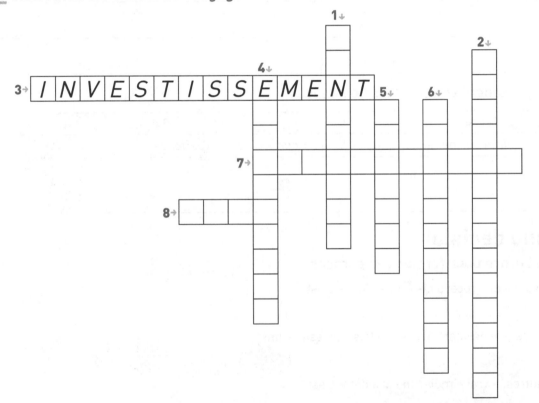

Horizontalement

3 s'investir

7 associer

8 aider

Verticalement

1 bénévole

2 responsable

4 s'engager

5 utile

6 citoyen

6 Complétez le texte avec :
s'engager, responsable,
association, utile,
rôle social, bénévolat.

ASSOCIATION

recherche des personnes pour faire du ....

Vous voulez vous sentir .... !

Vous voulez avoir un .... !

Vous voulez .... dans une .... !

Vous êtes ...., vous êtes libre
deux heures par semaine le soir ou le week-end :

Écrivez-nous à contact@asso-de-quartier.fr

___| Grammaire _____

La cause et le but

7 Classez ces raisons de s'engager dans une association.

a *Parce qu'on veut avoir de l'expérience.*

b Pour se sentir utile.

c Pour connaître des personnes engagées.

d Parce qu'on est citoyen.

e Parce qu'on aime aider les autres.

	Cause	But
a	*Parce qu'on veut avoir de l'expérience.*	
b		
c		
d		
e		

8 Complétez le tableau précédent comme dans l'exemple.

	Cause	But
a	*Parce qu'on veut avoir de l'expérience.*	*Pour avoir de l'expérience.*

___| Communiquer _____

Pour expliquer une décision

9 Mettez les mots dans l'ordre pour former des phrases.

a donner – aussi – bénévole – et – recevoir. – Être – c'est – c'est

....

b m' – dans – semaine. – Je – bénévolat – par – le – fois – investis – une

....

c les – plaisir – Pour – autres. – vrai – moi – un – d'aider – c'est

....

d dans – c' – association, – un – est – engager – acte – une – citoyen. – S'

....

| Grammaire |

La cause

Pourquoi ?
parce que **+ sujet + verbe**
Parce que *le bénévolat est important.*

❶ *parce qu'* + voyelle : *parce qu'il...*

Le but

Pour quoi (faire) **?**
pour **+ infinitif**
Pour *donner des cours.*

10 **Complétez chaque phrase en indiquant la cause et le but.**

a Elle veut devenir bénévole
{ parce qu'..
{ pour ....

b Il va voir des personnes âgées
{ parce qu'..
{ pour ....

c Cette expérience m'apprend beaucoup
{ parce qu'..
{ pour ....

11 **Vous voulez faire du bénévolat.**
Répondez par e-mail à l'une de ces annonces.
Expliquez pourquoi vous voulez vous engager.

Relever Nouveau message Répondre Rép. à tous Réexpédier Supprimer Indésirable Imprimer Red

a
Association de personnes
handicapées recherche
des bénévoles qui
peuvent accompagner
les membres pendant
des sorties.

b
Association recherche
un(e) bénévole pour
aller rendre visite à
des personnes âgées
seules.

12 **Vous cherchez des bénévoles pour votre association. Rédigez une annonce comme dans l'exemple.**

Bénévole à la bouquinothèque

Description du poste bénévole :
Une association à caractère social
recherche un(e) bénévole pour
accueillir et accompagner les enfants dans
leur choix de livres dans une bibliothèque.
Le (la) bénévole devra également noter
les livres rentrés et sortis.

Vous voulez
être bénévole ?

Bénévole à ....

Description du poste bénévole :
Une association à caractère social
recherche un(e) bénévole pour

Vous voulez
être bénévole ?

....

....

....

....

▌Phonétique

La voyelle

13 **Écoutez les phrases et soulignez les syllabes accentuées comme dans l'exemple.**

la responsabili<u>té</u>

a Il peut préparer les repas.

b Avoir un rôle social, c'est important.

c Ils donnent des cours de soutien scolaire.

d Elle veut s'investir dans une association.

14 **Écoutez encore une fois les phrases et répétez. Respectez le rythme et l'intonation.** 06

Les bonnes résolutions de Blaise et Fahima

1 Écoutez la conversation téléphonique. Choisissez les réponses correctes et répondez 🎧 07 aux questions.

a Blaise appelle Fahima :

☐ **1** parce que c'est son anniversaire.

☐ **2** parce que c'est la nouvelle année.

☐ **3** pour lui demander comment elle va.

b Fahima et Blaise parlent :

☐ **1** de ce qu'ils ont fait.

☐ **2** de ce qu'ils font.

☐ **3** de ce qu'ils feront.

c Retrouvez le projet de chacun.

Fahima ▇   ▇ Faire attention à sa santé.

Blaise ▇   ▇ S'investir dans une association.

d De qui s'occupe l'association Petits Princes ?

1 ☐   **2** ☐   **3** ☐

e Notez une des explications de Fahima et Blaise pour :

1 s'investir dans une association : ....

2 faire attention à sa santé : ....

2 Fahima souhaite devenir bénévole pour l'association Petits Princes. Écrivez sa demande. Imaginez pourquoi elle veut s'engager.

De :	Fahima@msn.com
À :	Association Petits Princes
Objet :	Bénévolat pour votre association

....

....

....

....

....

....

<u>3</u> Blaise reçoit cette publicité. Lisez et répondez aux questions.

Forme ✚

Une nouvelle salle de sport dans votre quartier

vous propose

– un programme alimentaire personnalisé
– des cours de gym collectifs tous les jours
– un coach personnel pour progresser à votre rythme

**Premier cours gratuit !
N'attendez pas !**

Ouvert du lundi au vendredi de 9h00 à 22h00, le samedi et le dimanche de 9h00 à 20h00.
Pour plus de renseignements, contactez Vanessa au 01 46 35 80 10.

Inscrivez-vous à Forme ✚ *et retrouvez la forme !*

a Qu'est-ce que « Forme + » ?

  ☐ **1** Un magasin de sport.   ☐ **2** Une salle de gym.   ☐ **3** Un programme de santé.

b Pourquoi Forme + peut aider les gens à bien manger ?

....

c À qui et comment peut-on demander des informations ?

....

<u>4</u> Écoutez la conversation téléphonique et choisissez les réponses correctes. 🎧 08

  a Blaise appelle le club de gym :

    ☐ **1** pour avoir des informations.   ☐ **2** parce qu'il veut s'inscrire.   ☐ **3** pour parler avec un professeur.

  b Vanessa conseille à Blaise de :

    ☐ **1** faire un régime.   ☐ **2** faire du sport.   ☐ **3** manger équilibré.

  c Blaise a choisi ce club parce qu'il peut essayer un cours.

    ☐ Vrai   ☐ Faux

  d Quand Blaise ira au club :

    ☐ **1** il prendra un cours de gym.   ☐ **2** il s'inscrira.   ☐ **3** il rencontrera un professeur.

**<u>5</u> Blaise va au club et rencontre un professeur. Regardez les photos et, à l'oral, trouvez les 3 conseils
du professeur. Utilisez *il faut* ou le futur.**

a   b   c

Leçon 5 | Sympa ce site !

| Comprendre _____

Une conversation à la cafétéria

1 Écoutez la conversation entre Laura et Katia. Choisissez les réponses correctes et 🎧09 répondez à la question.

a Katia et Laura :

☐ **1** sont de Nice mais n'ont pas beaucoup d'amis dans cette ville.

☐ **2** ne sont pas de Nice mais ont beaucoup d'amis dans cette ville.

☐ **3** ne sont pas de Nice et n'ont pas beaucoup d'amis dans cette ville.

b Chez elle, Laura utilise Internet :

☐ **1** pour lire ses e-mails.

☐ **2** pour surfer sur des sites.

☐ **3** pour aller sur des réseaux sociaux.

c Laura ne surfe pas souvent sur Internet chez elle. Pourquoi ? ....

d Katia montre à Laura un réseau social :

☐ **1** pour chatter avec ses amis.

☐ **2** pour connaître des étudiants de Nice.

☐ **3** pour parler avec des étudiants en France.

e Laura veut s'inscrire sur ce site.   ☐ Vrai   ☐ Faux

Une conversation téléphonique

2 Mettez le dialogue dans l'ordre. Écoutez pour vérifier vos réponses. 🎧10

...... **a** – C'est le 09 36 98 74 85.

...... **b** – Un instant, je dois me connecter sur un autre ordinateur pour regarder où est le problème. Je fais une recherche et je vous rappelle.

...... **c** – Je suis monsieur Lefèvre.

_1_ **d** – Allô.

...... **e** – Oui, je vous appelle parce que ma connexion Internet ne marche plus depuis trois jours !

...... **f** – Et le numéro de votre ligne ?

...... **g** – Vous pouvez me donnez votre nom, s'il vous plaît ?

...... **h** – Merci.

...... **i** – Oui, bonjour. Je peux vous aider ?

Pour...

→ **Exprimer la fréquence**

Je ne comprends **jamais**.
J'achète **toujours** _les billets d'avion sur Internet._
Parfois, _je trouve Internet compliqué._
Je vais **souvent** _sur Internet._

Les mots...

→ **De l'Internet**

un ordinateur
une connexion
un site (de rencontres)
une page d'accueil
une case
surfer sur Internet

compléter / remplir une case
faire une recherche
cliquer sur
valider
taper
un réseau social

texto

Un micro-trottoir

3 Écoutez le micro-trottoir et cochez les réponses correctes.

a

☑ Homme ☐ Femme

☐ De 15 à 20 ans ☐ De 20 à 45 ans ☐ De 45 à 60 ans

Écoute de
la musique : ☐ souvent ☐ parfois ☐ jamais

Prend des photos : ☐ souvent ☐ parfois ☐ jamais

Filme : ☐ souvent ☐ parfois ☐ jamais

A Internet sur
son téléphone : ☐ oui ☐ non

Surfe sur
son téléphone : ☐ souvent ☐ parfois ☐ jamais

b

☐ Homme ☐ Femme

☐ De 15 à 20 ans ☐ De 20 à 45 ans ☐ De 45 à 60 ans

Écoute de
la musique : ☐ souvent ☐ parfois ☐ jamais

Prend des photos : ☐ souvent ☐ parfois ☐ jamais

Filme : ☐ souvent ☐ parfois ☐ jamais

A Internet sur
son téléphone : ☐ oui ☐ non

Surfe sur
son téléphone : ☐ souvent ☐ parfois ☐ jamais

❚ Vocabulaire

Les mots de l'Internet

4 Retrouvez les 8 mots de l'Internet.

R	C	O	N	N	E	X	I	O	N
E	I	D	C	S	A	E	N	R	S
U	T	T	L	N	V	P	T	M	U
O	R	D	I	N	A	T	E	U	R
I	R	H	Q	O	L	E	R	R	F
L	U	A	U	A	I	Z	N	L	E
S	I	T	E	B	D	S	E	N	R
W	K	E	R	U	E	F	T	R	I
V	U	D	J	H	R	U	P	G	L
T	A	P	E	R	E	N	N	O	C

5 Complétez le texte avec :
*valider, page d'accueil,
ordinateur, taper,
connexion Internet,
site, cliquer, compléter,
chatter.*

Vous voulez rencontrer des gens nouveaux ?

Vous avez un ...., une .... ?

Il vous faut seulement 3 minutes et vous pourrez ....

avec des hommes et des femmes comme vous !

.... l'adresse de notre .... pour arriver

sur la .... sur « Pour s'inscrire ».

.... toutes les cases et .... C'est tout !

___| **Grammaire** _____

Le présent

6 **Dites quelle valeur a le présent dans les phrases suivantes.**

  a Vous partez en week-end samedi prochain ?

  b Je ne sais pas bien utiliser Internet.

  c Tu cliques là et tu valides.

  d J'aime me sentir utile.

  e Je surfe souvent sur Internet.

  f Il part dans le Sud de la France ?

	a	b	c	d	e	f
Une action en train de se passer	☐	☐	☐	☐	☐	☐
Une habitude ou un état	☐	☐	☐	☐	☐	☐
Le futur	☐	☐	☐	☐	☐	☐

Des verbes au présent

7 **Conjuguez les verbes entre parenthèses au présent.**

  a Vous *(connaître)* .... l'adresse de son site Internet ?

  b Ils *(choisir)* .... le vol de 18 heures 40.

  c Qu'est-ce que vous *(dire)* .... ?

  d Elles ne *(comprendre)* .... pas.

  e Je ne *(savoir)* .... pas comment faire une réservation.

  f Tu *(attendre)* .... depuis combien de temps ?

Depuis

8 **Transformez les phrases comme dans l'exemple.**

  Nous sommes en 2014. J'ai commencé à étudier l'anglais en 2010. → J'étudie l'anglais depuis 4 ans.

  a Pierre a commencé à travailler en 2001. → Pierre ....

  b Isa a commencé à acheter sur Internet en 2010. → Isa ....

  c J'ai commencé à voyager en 2007. → Je ....

  d Les enfants ont commencé à aller à l'école en 2009. → Les enfants ....

  e Claude a commencé à faire du sport en 1998. → Claude ....

  f Clara a commencé à parler en 2012. → Clara ....

Grammaire

Le présent

On utilise le présent pour :
– décrire une action en train de se passer :
  *Je **choisis** le vol de 13 h 50.*
– décrire une habitude, un état :
  *Je ne **suis** pas idiote.*
– parler du futur :
  *Tu **vas** à Nice ?*

Des verbes au présent

choisir
savoir + infinitif
connaître + nom
dire
comprendre
attendre

Depuis

On utilise **depuis** pour indiquer une action commencée dans le passé et qui continue dans le présent.
depuis + verbe au présent
Depuis un an, Lucie souligne surfe sur Internet.

I Communiquer

Pour exprimer la fréquence

9 Monsieur et madame Deschamps sont très différents. Utilisez *souvent*, *parfois* ou *jamais* et des verbes au présent pour décrire leurs habitudes.

• Prendre la voiture	• Déjeuner à la maison	• Travailler le soir	• Lire le journal
• Prendre le bus	• Déjeuner au restaurant	• Travailler le samedi	• Lire un livre
• Prendre le métro	• Déjeuner à la cafétéria	• Travailler le dimanche	• Écouter la radio

M. Deschamps prend souvent sa voiture pour aller au travail. Il prend parfois le bus mais il ne prend jamais le métro.

Mme Deschamps ....

....

....

....

....

....

....

10 Sur Internet : qu'est-ce que vous faites souvent / parfois ? Qu'est-ce que vous ne faites jamais ?

....

....

....

....

I Phonétique

Les sons [i] et [y]

11 Écoutez. Entendez-vous [i] (comme dans *site*, *clic*) ou [y] (comme dans *tu*, *vu*) ? 🎧 12

	a	b	c	d	e
[i] comme dans *site*, *clic*	☐	☐	☐	☐	☐
[y] comme dans *tu*, *vu*	☐	☐	☐	☐	☐

12 Écoutez. Combien de fois entendez-vous les sons [i] et [y] dans les phrases ? 🎧 13

	a	b	c	d	e	f
[i] comme dans *site*, *clic*	....	....	....	....	....	....
[y] comme dans *tu*, *vu*	....	....	....	....	....	....

13 Écoutez encore une fois les phrases et répétez. 13

Leçon 6 | # À louer

⫿Comprendre ────────────────────

La description d'un logement

1 **Vrai ou faux ? Écoutez le dialogue et cochez la bonne réponse.** 🎧 14

		V	F
a	L'appartement est proche de la mer.	☐	☐
b	La cuisine est équipée.	☐	☐
c	Il y a une salle d'eau.	☐	☐
d	L'appartement est climatisé.	☐	☐
e	Il y a un petit balcon.	☐	☐
f	L'appartement est un F1.	☐	☐
g	On peut dormir dans le salon.	☐	☐
h	Ce n'est pas un appartement pour une grande famille.	☐	☐

2 **Lisez l'annonce et dessinez le plan.**

> **À vendre**
> À deux pas du centre-ville, maison F3 de 60 m²
> avec 2 petites chambres exposition est. Grand
> salon exposition sud avec vue sur jardin. Cuisine
> équipée, salle d'eau et WC séparés. 250 000 € –
> 06 25 13 89 67.

3 **Associez pour former des phrases.**

a	Je vends un appartement de ▨		▨ 1 la mer.
b	Je cherche un studio avec ▨		▨ 2 l'immeuble.
c	Mon appartement est au ▨		▨ 3 70 m².
d	Je loue une maison proche de ▨		▨ 4 3e étage.
e	Il y a des commerces au pied de ▨		▨ 5 une belle vue.

⫿Pour...⫿

→ Caractériser un logement

Je vends un appartement *de 50 m²* [mɛtʀəkaʀe] *dans le centre-ville.*
J'ai un **grand** appartement, **clair** et **lumineux**.
Je loue un appartement **avec une belle vue** / **une exposition ouest**.
J'habite **au troisième étage**.
Je cherche une maison **proche** / **à deux pas** / **à 500 mètres** / **à cinq minutes** (à pied, en bus) *de la mer.*

⫿Les mots...⫿

De l'immobilier

à louer, à vendre
un immeuble
un appartement, une maison
un studio, un F1 = une pièce,
un F2 = deux pièces...
une pièce = le salon ou la chambre
la cuisine (équipée, indépendante)
la salle de bains ≠ la salle d'eau

les WC = les toilettes (séparé(e)s)
un balcon, une terrasse,
un jardin
l'étage : le rez-de-chaussée
[ʀɛdʃose] (= 0), le premier étage,
le deuxième étage...
l'ascenseur

| Vocabulaire

Les points cardinaux

4 **Placez ces villes sur la carte de France.**

- Lille : au nord

- Marseille : au sud

- Strasbourg : à l'est

- Nantes : à l'ouest

Les mots de l'immobilier

5 **Retrouvez les 10 mots de l'immobilier.**

L	D	L	A	C	U	T	F	S	J	A	V	N	P	C
I	M	M	B	Q	F	Z	M	S	X	J	R	R	Y	W
L	A	K	I	W	C	H	N	U	F	T	Z	S	I	T
O	S	H	M	L	H	H	A	X	C	S	K	S	U	Z
F	C	Q	M	M	B	M	A	I	S	O	N	H	Y	C
B	E	T	E	S	A	L	O	N	F	F	C	M	F	T
A	N	N	U	C	H	A	M	B	R	E	J	A	X	O
L	S	H	B	E	S	G	L	E	F	D	J	T	F	I
C	E	F	L	C	Q	Z	L	S	G	V	Z	K	N	L
O	U	H	E	T	L	L	D	L	T	L	S	R	O	E
N	R	I	B	H	Q	L	K	V	C	H	T	J	Q	T
V	X	U	N	R	X	Z	W	S	T	U	D	I	O	T
U	I	Q	D	T	J	A	R	D	I	N	G	N	M	E
X	V	K	O	C	U	I	S	I	N	E	O	A	L	S
C	V	A	S	Z	Y	H	Q	E	D	L	C	X	K	N

6 **Complétez l'annonce avec :** *cuisine, étage, toilettes, salon, ascenseur, pièces, chambres, immeuble, louer, ouest.*

À .... : beau 3 .... de 75 m² au 5ᵉ ....
avec .... Grand .... très lumineux, exposition
.... 2 ...., salle de bains et ....
séparées. .... équipée. Bus et commerces au pied de l'............................ .

7 **Dans quelles pièces peut-on faire ces actions ?**

a Manger : ....

b Dormir : ....

c Se laver : ....

d Regarder la télé : ....

23

Grammaire

Les pronoms relatifs *qui* et *que*

8 Entourez le pronom relatif correct.

a L'appartement *qui / que* j'ai visité ce matin est près du centre-ville.

b Je cherche une maison *qui / que* a une vue sur la mer.

c L'appartement *qui / que* je loue est climatisé.

d C'est un salon *qui / que* est clair et lumineux.

e Il préfère une cuisine *qui / que* est équipée.

9 Reliez les phrases avec *qui* ou *que* comme dans l'exemple.

Elle a une maison. Sa maison est à deux pas de la mer. → Elle a une maison qui est à deux pas de la mer.

a Je cherche une maison sur un site Internet. Tu m'as conseillé ce site Internet.

→ ....

b Il loue un appartement. Cet appartement est au dernier étage.

→ ....

c C'est un petit immeuble. Cet immeuble n'a pas d'ascenseur.

→ ....

d Nous habitons dans un appartement. Nous avons acheté cet appartement l'année dernière.

→ ....

Le comparatif

10 Imaginez une situation contraire. Utilisez des comparatifs comme dans l'exemple.

Avant, il travaillait beaucoup, il avait une grande maison mais il n'avait pas beaucoup de temps.
→ Maintenant, il travaille moins, il a une maison plus petite mais il a plus de temps.

a Avant, je n'avais pas un bon salaire, j'habitais dans un petit appartement qui n'était pas proche du centre-ville.

→ Maintenant, ...

....

b Avant, nous avions beaucoup d'argent, nous vivions mieux, nous allions souvent au restaurant et nous voyagions

beaucoup. → Maintenant, ...

....

c Avant, cette maison n'était pas en bon état, la salle de bains était petite, le salon n'était pas lumineux et nous

ne nous sentions pas bien. → Maintenant, ...

....

---

texto

24

11 Imaginez maintenant des situations identiques. Utilisez des comparatifs comme dans l'exemple.

Ils ont beaucoup d'enfants et une petite maison. → *Nous avons autant d'enfants et une maison aussi petite.*

a Vous avez un appartement avec beaucoup de pièces et une belle vue.

→ Nous ....

b Elle travaille beaucoup et elle se sent bien.

→ Je ....

c J'ai beaucoup d'amis et je voyage souvent.

→ Elle ....

I Communiquer

Pour caractériser un logement

12 Vous louez votre appartement pour les vacances. Regardez la photo et écrivez l'annonce pour le site immobilier.

....
....
....
....
....

13 Vous avez visité ces 2 appartements. À l'oral, comparez-les avec votre voisin(e). Puis choisissez celui que vous préférez et expliquez pourquoi.

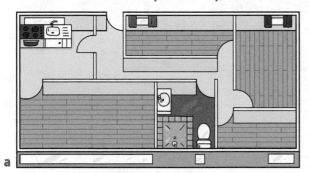

a

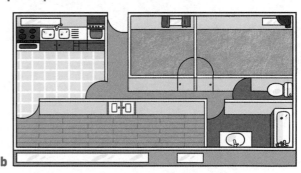

b

I Phonétique

Les sons [y] et [Œ] ([ø], [œ], [ə])

14 Écoutez bien : [y] comme dans *une v<u>u</u>e* ? Barrez l'intrus. 15

a tu – sur – que – plus

b studio – immeuble – bus – vue

c inclus – sud – Lucie – Denis

15 Écoutez bien : [œ] comme dans *d<u>eu</u>x*, *<u>seu</u>le* ou *l<u>e</u>* ? Barrez l'intrus. 16

a je – jeu – mieux – jus

b deux – bus – fauteuil – veux

c seul – peux – vue – ascenseur

Leçon 7 | # Le plus cher !

─── **| Comprendre** ───

Un itinéraire

1 Lisez les indications et choisissez le plan correspondant.

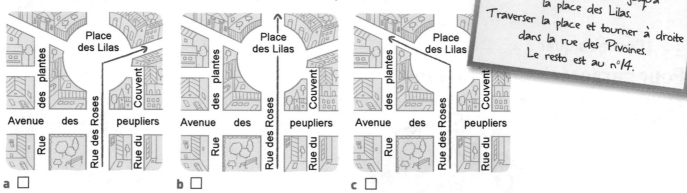

a ☐   b ☐   c ☐

> Samedi 25, resto « Chez Paulette »,
> avec Fabrice et Anissa.
> Prendre la rue des Roses.
> Traverser l'avenue des Peupliers.
> Continuer tout droit jusqu'à
> la place des Lilas.
> Traverser la place et tourner à droite
> dans la rue des Pivoines.
> Le resto est au n°14.

2 Écoutez le message et dessinez l'itinéraire sur le plan. 🎧17

Pour...

→ **Indiquer un itinéraire**

Vous **prenez** le bus et vous **descendez** à la gare.
Vous **tournez à droite** / à gauche **dans la rue** Paradis.
Vous prenez l'avenue à droite / **à gauche**.
Vous **traversez** le boulevard.
Vous **continuez jusqu'à** la place.

→ **Justifier un choix**

C'est **le plus beau** !

Les mots...

Du mobilier (1), de l'équipement

un lit double / un lit simple
une douche / une baignoire
une table, une chaise, un fauteuil, un canapé-lit
un four, des plaques (le four + les plaques =
la cuisinière), un réfrigérateur (un frigo),
un congélateur, un micro-ondes,
un lave-vaisselle, un lave-linge
une climatisation (la clim)

De l'acquiesceme

Bien sûr !
Tout à fait !
Absolument !

Le mobilier, l'équipement

3 Écoutez la conversation et cochez ce qu'il y a dans l'appartement.

a ☐ b ☐ c ☐ d ☐ e ☐

f ☐ g ☐ h ☐ i ☐ j ☐ k ☐

▌Vocabulaire

Les mots de l'itinéraire

4 Complétez avec : *continuer jusqu'à, tourner à gauche, traverser, tourner à droite, prendre.*

a .... b .... c .... d .... e ....

Les mots du mobilier, de l'équipement

5 Observez et complétez les étiquettes.
Attention : il y a 6 mots en trop.

un lit simple – un lit double –
un canapé – un fauteuil –
une table – deux chaises –
une douche – une baignoire –
un lave-vaisselle – un lave-linge –
des plaques – un four –
un micro-ondes – une cuisinière –
un réfrigérateur – un congélateur –
une climatisation

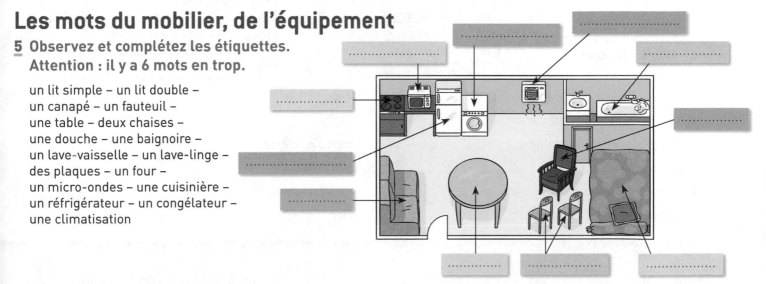

Les mots de l'acquiescement

6 Répondez avec des expressions équivalentes à *oui*.

Je peux visiter l'appartement ?

a .... ! b .... ! c .... !

27

Leçon 7 ┃Le plus cher !

──┃**Grammaire**────────────────────────

Le superlatif

7 **Complétez les phrases avec des superlatifs.**

*Rose aime le studio du centre-ville parce que c'est **le plus** proche de la mer.*

a Katia a choisi la table .... grande parce que son studio est très petit.

b Valentin va louer le studio qui a .... équipements parce qu'il n'a pas de meubles.

c Charlie n'a pas choisi l'itinéraire .... rapide parce qu'il aime prendre son temps.

d Gaspard a visité l'appartement .... cher parce qu'il n'a pas beaucoup d'argent.

e Paola, achète les fauteuils rouges : ce sont .... confortables !

8 **Complétez avec des superlatifs irréguliers.**

> ### Immo'Nice, mon agence idéale !
> Vous voulez louer ou acheter un studio ou un appartement pour les vacances ? .... solution, c'est Immo'Nice ! Toute l'année, votre agence immobilière vous propose .... services et .... rapport qualité prix ! N'attendez plus et contactez-nous ! Immo'Nice, pour vous, c'est .... !

9 **Lisez les fiches de Camille et de Sophie et comparez leur lieu de vie avec des superlatifs.**

> **Camille**
> Lieu : à 20 min. à pied de la mer
> Logement : F2
> Surface : 50 m²
> Exposition : nord
> Cuisine équipée : frigo, four, plaques
> Salle de bains : 5 m², avec WC
> Prix : 450 € la semaine

> **Sophie**
> Lieu : à 300 m de la mer
> Logement : F3
> Surface : 65 m²
> Exposition : ouest
> Cuisine équipée : réfrigérateur-congélateur, four, plaques, lave-vaisselle
> Salle de bains : 12 m², jacuzzi, WC séparés
> Prix : 800 € la semaine

*L'appartement de Camille est **le moins** proche de la mer.*

a L'appartement de Camille a .... pièces.

b L'appartement de Camille est .... petit.

c L'appartement de Camille a .... bonne exposition.

d La cuisine de Sophie a .... équipements.

e La salle de bains de Sophie est .... confortable.

f L'appartement de Sophie est .... cher.

Grammaire

Le superlatif

le / la / les plus / moins + adjectif / adverbe
*C'est l'appartement **le plus** beau mais pas **le moins** cher.*

❶ Superlatifs irréguliers :
bon(ne) → *le / la **meilleur(e)***
***Le meilleur** rapport qualité-prix.*
bien → *le / la **mieux***

le plus de (d') / le moins de (d') + nom
*C'est la cuisine qui a **le moins d'**équipements.*

texto

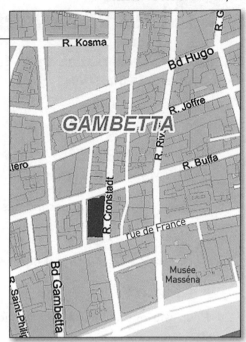

❙ Communiquer

Pour indiquer un itinéraire

10 Regardez le plan de Nice. Écrivez un e-mail à vos amis pour indiquer l'itinéraire à suivre du musée Masséna jusqu'à chez vous, 16 rue Kosma.

| Relever | Nouveau message | Répondre | Rép. à tous | Réexpédier | Supprimer | Indésirable | Imprimer | Rediriger | Renvoyer | Non lu(s) | Lu(s) |

Bonjour,

Je vous attends à la maison, demain vers 13 h, pour déjeuner. Pour venir

chez moi, c'est facile. Quand vous êtes devant le musée Masséna, ...

....

....

Pour justifier un choix

11 Lisez les 2 annonces. Choisissez un appartement pour vos vacances à Nice et écrivez un e-mail à votre ami Sacha pour justifier votre choix.

Annonce 1

F2, 40 m², une chambre, terrasse 10 m², une salle d'eau, WC séparés, cuisine avec réfrigérateur, cuisinière et lave-linge. 500 €/semaine.

Annonce 2

F3, 60 m², deux chambres, 1 salle de bains avec WC. Cuisine équipée (frigo, four, plaques, lave-vaisselle). Terrasse 20 m². 1000 €/semaine.

| Relever | Nouveau message | Répondre | Rép. à tous | Réexpédier | Supprimer | Indésirable | Imprimer | Rediriger | Renvoyer | Non lu(s) | Lu(s) |

Salut Sacha,

Voilà, j'ai trouvé mon appartement pour mes prochaines vacances à Nice !

J'hésitais entre le F2 et le F3, et finalement j'ai choisi le ....

....

....

....

....

❙ Phonétique

Les sons [y] et [u]

12 Écoutez. Entendez-vous [y] (comme dans *tu*) ou [u] (comme dans *vous*) ?

	a	b	c	d	e	f
[y] comme dans *tu*	☐	☐	☐	☐	☐	☐
[u] comme dans *vous*	☐	☐	☐	☐	☐	☐

13 Lisez les phrases suivantes. Puis écoutez et répétez.

a Tu tournes dans la rue de Coury.

b Vous prenez le boulevard Jules-Vallès.

c C'est au bout. Au numéro douze.

d La douche se trouve au bout du couloir.

e Dans la cuisine, vous avez des plaques à induction et un four.

f Dans ce studio, il y a en tout six couchages.

Bilan Les vacances de monsieur et madame Garnier

1 Écoutez la conversation entre Roger et Cécile Garnier. Choisissez les réponses correctes et 🎧 21 répondez à la question.

a Cécile propose à Roger :

☐ **1** de partir en vacances.

☐ **2** d'aller voir leur ami Pierre.

☐ **3** de voyager dans le Sud.

b Cécile et Roger veulent partir seuls.

☐ Vrai   ☐ Faux

c Cécile préfère aller à Nice. Pourquoi ? Donnez deux raisons.

....

d Pour trouver un appartement à louer, ils vont sur :

☐ **1** www.nice.fr

☐ **2** www.nimes.fr

☐ **3** www.immosud.fr

2 Lisez l'e-mail que Cécile envoie à sa copine Valérie et remplissez la fiche.

Relever | Nouveau message | Répondre | Rép. à tous | Réexpédier | Supprimer | Indésirable | Imprimer | Rediriger | Renvoyer | Non lu(s) | Lu(s) | Signaler | 🔍 Rechercher

Coucou Valérie,

J'espère que tu vas bien. Roger et moi, on veut louer un appartement à Nice pour les vacances du 31 mars au 13 avril. On sera quatre avec les enfants. Est-ce que tu peux nous aider ? On cherche un appartement avec une ou deux chambres, à 10 minutes à pied maximum de la plage et du centre-ville et bien sûr le moins cher possible. Il faut un grand lit pour nous (on peut dormir dans le salon), deux lits pour les enfants et une cuisine équipée pour ne pas aller au restaurant tous les jours. C'est cher et les enfants sont difficiles. Ils aiment mieux manger la cuisine que je prépare. Il faut aussi une télévision et un lave-linge. Merci pour ton aide !

À bientôt,

Cécile

Ville : ....

Dates de vacances : du .... au ....

Nombre de personnes : ....   **Nombre de chambres :** ....

Appartement : ☐ oui ☐ non   **Maison :** ☐ oui ☐ non

Cuisine équipée : ☐ oui ☐ non

Options : lave-vaisselle : ☐ oui ☐ non   **Lave-linge :** ☐ oui ☐ non

Salle de bains : ☐ oui ☐ non   **Salle d'eau :** ☐ oui ☐ non

Nombre de lits : ...... lit(s) double(s) ou ...... canapé-lit pour ...... personne(s) + ... lit(s) simple(s)

Balcon : ☐ oui ☐ non   **Terrasse :** ☐ oui ☐ non

Parking : ☐ oui ☐ non

À proximité de : ☐ centre-ville ☐ bord de mer ☐ commerces

Options : ☐ Internet ☐ Wi-Fi

Prix à la semaine : ....

<u>3</u> **Lisez les 3 annonces que Valérie envoie. Quels sont les avantages et les inconvénients de chaque appartement ? Quelles annonces peuvent intéresser la famille Garnier et pourquoi ?**

Nice Port, 3 pièces, balcon au sud, vue sur mer, 3ᵉ étage avec ascenseur. Grand salon avec une cuisine américaine équipée (lave-vaisselle, four, micro-ondes, plaques de cuisson, réfrigérateur/congélateur), télévision, connexion Internet en Wi-Fi et WC indépendant. 1 chambre avec lit double et 1 petite chambre avec canapé-lit. Parking privé – 700 €/semaine.	**Nice Port, Joli 2 pièces,** 5ᵉ étage sans ascenseur, balcon au nord, à seulement 100 mètres des plages. Pièce principale avec coin cuisine équipée de lave-linge, réfrigérateur, plaque de cuisson, micro-ondes. Canapé-lit, TV. Salle de douche avec WC. Petite chambre avec deux lits. Connexion Internet en Wi-Fi. 550 €/semaine.	**Nice Nord, F3** avec petit balcon, 1 lit double dans une chambre et deux lits simples dans la 2ᵉ chambre, cuisine équipée, lave-linge dans la salle d'eau, TV, connexion internet, à 10 minutes de la mer et des plages. Gare SNCF à 5 minutes. 400 €/semaine.
a	**b**	**c**

<u>4</u> **Imaginez le dialogue entre Cécile et Roger pour comparer les avantages et les inconvénients de chaque appartement.**

....
....
....
....
....
....
....
....

<u>5</u> **Écoutez la conversation téléphonique entre Roger et l'agence immobilière et répondez 🎧 22 aux questions.**

a De quelle annonce (activité 3) parlent-ils ? Justifiez votre réponse.

....

b Que va demander Roger au propriétaire ?

....

<u>6</u> **Écrivez l'e-mail que Roger et Cécile envoient au propriétaire.**

Relever	Nouveau message	Répondre	Rép. à tous	Réexpédier	Supprimer	Indésirable	Imprimer	Rediriger	Renvoyer	Non lu(s)	Lu(s)	Signaler	Rechercher

De : rogergarnier@gmail.com
À : vincent.perrin@hotmail.com

....
....
....
....

Faits et gestes

1 Associez les sentiments aux photos.

a le mécontentement **b** la satisfaction **c** l'ennui

2 Observez les petits déjeuners. Trouvez le petit déjeuner français et décrivez-le.

....

3 Observez la table des Le Tallec. C'est votre petit déjeuner : qu'est-ce que vous ajoutez ou retirez ?

....

....

....

....

4 Faites parler Lucie.

....

.... !

....

.... !

5 Répondez en utilisant des mots-phrases.

a Vous avez trouvé le site ?

....

b Vous avez oublié de remplir la case.

....

c Vous êtes arrivé(s) en retard en classe.

d Vous avez un téléphone portable ?

....

Culture

6 Complétez la biographie de François Truffaut.

> François Truffaut est né en ....
>
> Il a été critique ...., acteur, mais surtout
>
> .... et ....
>
> Il a réalisé une série de films avec Antoine Doinel comme personnage
>
> principal. Son troisième film s'appelle .... ; il est sorti
>
> en 1968. François Truffaut a participé à la Nouvelle Vague.

7 Notez 3 caractéristiques de la Nouvelle Vague.

Montage différent.

a .... b .... c ....

8 Situez Nice sur la carte de France. Dites ensuite si les informations sont vraies ou fausses.

		V	F
a	Il y a 343 000 habitants à Nice.	☐	☐
b	Nice est la capitale de la Loire Atlantique.	☐	☐
c	On appelle la Méditerranée « La Grande Bleue ».	☐	☐
d	La promenade au bord de la mer s'appelle « La Riviera ».	☐	☐
e	Il y a un carnaval en juillet.	☐	☐
f	Il y a une « vieille » ville et une ville « moderne ».	☐	☐

9 Quel peintre est associé à Nice ? Observez et choisissez.

a ☐

Matisse, *Danseuse créole*

b ☐

Renoir, *Les Parapluies*

c ☐

Gauguin, *La Sieste*

Leçon 9 | C'était étonnant !

| Comprendre

Un rêve étrange

1 Lisez la description du rêve et choisissez le dessin qui illustre la situation.

Cette nuit, J'ai fait un rêve étrange. Je marchais sur une plage. C'était l'hiver, il y avait du soleil mais il faisait froid. Une famille pique-niquait, des enfants couraient et un homme jouait du piano sur la plage. Un peu plus loin, un éléphant jouait au ballon...

a ☐

b ☐

c ☐

Après le spectacle

2 Écoutez la conversation entre Loïc et Nathalie. Choisissez les réponses correctes et répondez aux questions. 🎧 **23**

a Qu'ont fait Loïc et Nathalie ?

☐ **1** Ils ont regardé la télévision.   ☐ **2** Ils ont vu un spectacle.   ☐ **3** Ils ont fait la fête.

b Où s'est passé l'événement ? ....

c Est-ce que Loïc et Nathalie sont d'accord ?   ☐ Oui   ☐ Non

d Pour Loïc et Nathalie :

☐ **1** les géants étaient extraordinaires.   ☐ **2** la musique était forte.   ☐ **3** les gâteaux étaient très bons.

e Pour Nathalie, comment était la journée ? ....

Pour...

→ **Décrire une situation dans le passé**

Il y avait du bruit.

→ **Faire une description**

C'était un éléphant géant.

→ **Faire un commentaire sur un événement passé**

C'était surprenant !

Les mots...

→ **Du commentaire appréciatif**

étonnant(e)	génial(e)
surprenant(e)	magique
extraordinaire	fantastique

→ **Du spectacle de rue**

le bruit	une marionnette
la musique	géant(e) = très grand(e)

3 Lisez les phrases et cochez les réponses correctes.

	Décrire une situation dans le passé	Faire une description	Faire un commentaire sur un événement passé
a Le public regardait le ciel.	☑	☐	☐
b C'était exceptionnel !	☐	☐	☐
c Il faisait froid.	☐	☐	☐
d C'était un grand animal.	☐	☐	☐
e C'était un personnage très moche.	☐	☐	☐
f Il y avait beaucoup de monde.	☐	☐	☐
g C'était une journée fantastique !	☐	☐	☐

▎Vocabulaire

Les mots du commentaire appréciatif

4 Retrouvez les 6 mots pour faire un commentaire appréciatif.

Le spectacle était...

Les mots du spectacle de rue

5 Associez chaque mot à une photo.

a un géant ■ **b** une marionnette ■ **c** le bruit ■ **d** la musique ■

■

1

2

3

4

6 Complétez les phrases avec les mots de l'activité 5.

a Quand j'étais petit, j'adorais les spectacles de .... mais j'avais très peur des
.... qu'on pouvait rencontrer dans les rues pendant le carnaval.

b Le spectacle était très bien mais il y avait du .... Quel dommage !
On ne pouvait pas écouter la .... dans le calme !

35

Leçon 9 | C'était étonnant !

Grammaire

L'imparfait

7 Conjuguez les verbes à l'imparfait.

a parler, je ....
b choisir, il ....
c aller, nous ....
d être, tu ....
e savoir, vous ....
f prendre, ils ....

g faire, vous ....
h sortir, je ....
i boire, il ....
j venir, ils ....
k dormir, tu ....
l finir, nous ....

8 Complétez le texte avec les verbes à l'imparfait.

attendre – boire – avoir (x2) – être – jouer – se promener – sortir – faire – danser

Louis a vu une scène amusante dans la rue. Il raconte...

a Vers midi, je .... boulevard Émile-Zola.

b Il y .... du soleil, mais il ne .... pas chaud.

c Des employés .... de leur bureau pour déjeuner, des parents .... leurs enfants
devant l'école, des étudiants .... un verre à la terrasse d'un café.

d Un homme aux vêtements colorés .... du violon devant un groupe de spectateurs.

e Un petit chien .... à côté de lui au rythme de la musique.

f Le maître et son chien .... tous les deux un nez rouge !

g C'........................... très amusant !

Le passé composé

9 Mettez les phrases au passé composé.

a Nous marchons dans les rues animées. ....

b Elle prend des photos des géants. ....

c Ils choisissent le spectacle de marionnettes. ....

d Je vois un éléphant de toutes les couleurs. ....

e Vous entendez un bruit dans la rue. ....

f Je m'assois pour regarder le spectacle. ....

g Tu racontes ton rêve incroyable. ....

Grammaire

L'imparfait

On utilise l'imparfait pour :
– décrire une situation :
  On **se promenait**. Il y **avait** du bruit.
– faire une description :
  C'**était** un éléphant géant.

Formation : base de la 1re
personne du pluriel au présent +
-ais, -ais, -ait, -ions, -iez, -aient.

Présent	Imparfait
nous **av**ons	j'**av**ais
nous **fais**ons	je **fais**ais
nous **finiss**ons	je **finiss**ais
nous **buv**ons	je **buv**ais
nous **pren**ons	je **pren**ais
nous **sav**ons	je **sav**ais

Être

j'étais	[etɛ]	ils/elles étaient	[zetɛ]
tu étais	[etɛ]	nous étions	[zetjɔ̃]
il/elle/on était	[etɛ]	vous étiez	[zetje]

Le passé composé (1)

On utilise le passé
composé pour raconter
un événement (une
action) passé(e),
terminé(e) et limité(e)
dans le temps.
Je me suis assis.

texto

Communiquer

Pour décrire une situation dans le passé, faire une description ou un commentaire sur un événement passé

10 Fatima et Nicolas sont allés au cirque. Fatima a adoré le spectacle mais Nicolas n'a pas aimé. Écrivez leurs commentaires sur le site www.spectacles.fr.

spectacles.fr ›› Accueil ›› Avis des internautes

 **Fatima** 02/03/2014

....
....
....
....

 **Nicolas** 01/03/2014

....
....
....
....

11 Alice et Guillaume racontent leur rencontre. Regardez la photo et décrivez les circonstances (lieu, temps, ambiance, activités des personnes...).

....
....
....
....
....

12 À l'oral, décrivez la situation de ces personnes avant.

a Avant mon mariage...

b Avant, je travaillais...

c Avant, je me levais très tôt...

Phonétique

Mot phonétique, rythme, accentuation, continuité

13 Écoutez. Combien y a-t-il de syllabes phonétiques dans les phrases ? 24

a Vous allez bien ? → 4

a	b	c	d	e	f	g
4	......	......	......	......	......	......

Leçon 10 | # Camille Claudel

| Comprendre ————————————————————

Une conversation téléphonique

1 Vrai ou faux ? Écoutez la conversation entre Véronique et Sylvia et cochez la bonne réponse. 🎧 **25**

		V	F
a	Véronique téléphone à Sylvia pour prendre de ses nouvelles.	☐	☐
b	Sylvia et Véronique sont allées ensemble dans une galerie.	☐	☐
c	Piero peint sur du papier journal.	☐	☐
d	Piero est devenu fou.	☐	☐
e	Piero est allé tout seul à l'hôpital psychiatrique.	☐	☐
f	Véronique pense que beaucoup d'artistes sont un peu fous.	☐	☐

Une invitation

2 Vrai ou faux ?
Lisez l'invitation
et cochez la bonne
réponse.

> ### La librairie-galerie Bana ya Mpoto
> 25 rue de l'Union – Marseille
> vous invite
> ### Samedi 12 février
> à partir de 15 h
> **au vernissage de l'exposition
> de dessins d'enfants et
> à la dédicace du premier livre de Raïssa B.**
> *L'auteure sera sur place et signera son livre.*

Raïssa B

Une enfant de Pointe-Noire

			V	F
a	Cette invitation s'adresse à des personnes qui s'intéressent à :			
	1	la peinture.	☐	☐
	2	la sculpture.	☐	☐
	3	la littérature.	☐	☐
b	Raïssa B. a écrit beaucoup de livres.		☐	☐
c	Raïssa B. est une enfant.		☐	☐
d	Le 12 février, Raïssa B. sera là.		☐	☐

Pour...

→ Situer dans le temps
Le 8 décembre 1864.
En 1882.
Un an après.
Sept ans plus tard.
À l'âge de 79 ans.

→ Indiquer la chronologie
*Après son arrivée à Paris, elle
a suivi des cours de sculpture.*
*Avant de devenir paranoïaque,
elle a réalisé son œuvre.*

Les mots...

De l'art
l'art, un artiste, artistique
la sculpture, sculpter, un sculpteur
la littérature, écrire, un écrivain
la peinture, peindre, un peintre
un atelier, la création, créer
une œuvre (originale)

De la folie
la folie, fou (folle),
devenir fou (folle)
la paranoïa,
paranoïaque
l'hôpital psychiatrique
s'enfermer

texto

Une émission de radio

3 **Mettez l'interview de Raïssa B. dans l'ordre.**

a LE PRÉSENTATEUR : À quel âge avez-vous commencé à écrire ?

b RAÏSSA B. : Oui, un an après ma naissance, ma famille est venue s'installer à Paris. J'ai fait toutes mes études ici.

c LE PRÉSENTATEUR : Avec nous aujourd'hui, l'écrivaine Raïssa B. qui sort son premier roman.

d RAÏSSA B. : Je suis née en 1980 à Pointe-Noire au Congo.

e LE PRÉSENTATEUR : Mais vous avez fait vos études en France ?

f RAÏSSA B. : Bonjour.

g LE PRÉSENTATEUR : Vous pouvez vous présenter ?

h RAÏSSA B. : À 15 ans, j'ai commencé à écrire un journal sur Internet et puis après je n'ai jamais arrêté.

i LE PRÉSENTATEUR : Merci Raïssa. Bonne chance pour la sortie de ce livre !

1	2	3	4	5	6	7	8	9
c	......	......	......	......	......	......	......	......

▌Vocabulaire

Les mots de l'art

4 **Écrivez leur profession.**

a Elle est ....

b Il est ....

c Il est ....

5 **Cochez les réponses correctes.**

a Je vais tous les dimanches au musée. J'adore :

☐ **1** la littérature. ☐ **2** l'art. ☐ **3** l'œuvre.

b Je voudrais acheter une sculpture. J'ai rendez-vous avec :

☐ **1** le peintre. ☐ **2** l'écrivain. ☐ **3** l'artiste.

c J'aime beaucoup lire :

☐ **1** de la sculpture africaine. ☐ **2** de la littérature africaine. ☐ **3** de la peinture africaine.

d Je suis allé voir ce peintre dans :

☐ **1** son atelier. ☐ **2** sa création. ☐ **3** son œuvre originale.

Les mots de la folie

6 **Retrouvez les mots qui manquent.**

a La femme qui habite à côté de chez moi est un peu f.. mais elle est gentille.

b Depuis quelques semaines, elle ne sort plus de chez elle parce qu'elle dit que les voisins vont la tuer.

Elle est devenue complètement p...................................... .

c La p............................ est une vraie maladie. Le malade s'................................ dans sa f............................ .

d Quand il a une crise, il doit aller voir un médecin à l'h.. .

Grammaire

Le passé composé

7 **Conjuguez les verbes entre parenthèses au passé composé.**

a Fatima B. *(naître)* .... à Rabat au Maroc, le 21 février 1973.

b Très jeune, elle *(commencer)* .... à s'intéresser à l'art.

c Elle *(prendre)* .... des cours de peinture et de sculpture dans sa ville.

d Puis, elle *(venir)* .... à Paris et elle *(entrer)* .... à l'École des beaux-arts.

e Elle *(devenir)* .... professeur d'arts plastiques et elle *(s'installer)* .... à Marseille.

La chronologie

8 **Transformez les phrases comme dans l'exemple.**

D'abord, il a étudié la peinture. Ensuite, il s'est intéressé à la sculpture.
→ **Avant de s'intéresser** *à la sculpture, il a étudié la peinture.*

a D'abord, ils sont allés à l'université. Ensuite, ils se sont inscrits dans cette école privée.

→ Avant de ....

b D'abord, elle a habité à Nice. Ensuite, elle est partie vivre à Marseille.

→ Avant de ....

c D'abord, j'ai fait de la peinture. Ensuite, j'ai commencé à écrire.

→ Avant de ....

d D'abord, il a loué un atelier. Ensuite, il a réalisé de grandes sculptures.

→ Avant de ....

9 **Transformez les phrases comme dans l'exemple.**

Il est arrivé à Paris ; il s'est inscrit à l'université. → **Après son arrivée** *à Paris, il s'est inscrit à l'université.*

a Ils sont partis de Nice ; ils ont travaillé à Rennes.

→ Après ....

b Elles sont retournées en France ; elles ont commencé à prendre des cours.

→ Après ....

c Elle s'est inscrite à l'université ; elle a voulu arrêter ses études.

→ Après ....

d Il est entré en première année de littérature comparée ; il a décidé de devenir écrivain.

→ Après ....

Grammaire

Le passé composé (2)

On utilise l'auxiliaire **être** avec :
– les verbes pronominaux : *Elle s'est installée à Paris.*
– les verbes *naître, mourir, aller, venir, arriver, sortir, partir, rester, monter, descendre...* : *Elle est née en 1864.*

Avec l'auxiliaire **être**, le participe passé s'accorde avec le sujet.
***Elle s'est** installée quai de Bourbon.*

Avec l'auxiliaire **avoir**, le participe passé ne s'accorde pas avec le sujet.
*Les deux amants **ont** travaillé ensemble.*

S'installer au passé composé

La chronologie

avant de + infinitif
Avant de <u>devenir</u> *paranoïaque, elle a réalisé son œuvre.*

après + déterminant + nom
Après <u>son arrivée</u> *à Paris, elle a suivi des cours.*

40

▊**Communiquer**

Pour situer dans le temps

10 Écrivez la biographie de cet artiste.

Pablo est né le ....

À l'âge de ....

....

....

....

Maintenant, il habite dans le Sud de la France et vient de vendre une œuvre à un touriste japonais.

11 Imaginez les réponses de Pablo à un journaliste.

a Le journaliste : Bonjour Pablo. Vous êtes peintre. À quel âge avez-vous commencé à peindre ?

Pablo : ....

b Le journaliste : Vous avez appris comment ? À l'école ?

Pablo : ....

c Le journaliste : Dans cette école d'art, vous avez seulement fait de la peinture ?

Pablo : ....

d Le journaliste : Vous peignez chez vous ou bien vous avez un atelier ?

Pablo : ....

e Le journaliste : Est-ce que vous vendez vos créations ?

Pablo : ....

12 Choisissez un(e) autre artiste et imaginez l'interview entre cet(te) artiste et le (la) journaliste.

▊**Phonétique**

La liaison

13 Écoutez les phrases et notez les liaisons avec le symbole ‿.

ses‿enfants

a Un an après, il s'est installé à Paris.

b Ils ont eu deux autres enfants.

c Ils ont vécu deux ans dans un hôtel.

d Elle s'est enfermée dans son atelier.

e Trois ans plus tard, elle est entrée dans un hôpital psychiatrique.

f Cette année-là, elle a réalisé des œuvres très originales.

14 Écoutez encore une fois les phrases et répétez.

15 Lisez cette phrase. Respectez le rythme, l'accentuation et les liaisons.

Les deux amants ont habité dans un grand appartement et ont travaillé ensemble sur plusieurs œuvres.

16 Écoutez pour vérifier et répétez.

Leçon 11 | Changement de vie

Comprendre

Une affiche pour un salon

1 Lisez l'affiche et répondez aux questions.

a Qui organise ce salon ? ....

b Combien de jours dure ce salon ? ....

c À qui s'adresse ce salon (2 réponses) ?

☐ **1** À des étudiants.

☐ **2** À des professeurs.

☐ **3** À des personnes qui travaillent.

☐ **4** À des personnes qui cherchent un emploi.

☐ **5** À des personnes qui veulent changer de voie.

d Que cherchent les personnes qui vont à ce salon ?

....

Vous avez envie de changer de carrière ?

Vous voulez travailler dans un autre domaine ?

Votre travail ne vous plaît pas?

Salon
de la **formation** et de l'**évolution professionnelle**

Choisissez la meilleure formation

Paris, 21 et 23 mars
Paris expo Porte de Versailles
Pavillon 2.1 - 10h - 18h

Conférences & rencontres

Programme et invitations gratuites sur **seformer.fr**

Une conversation sur un changement de vie

2 Écoutez la conversation entre Béatrice et Ludmila. Répondez aux questions et 🎧 **28** choisissez les réponses correctes.

a Où est allée Ludmila ce week-end ? Pourquoi ?

....

b Ludmila travaille :	☐ **1** dans l'immobilier.	☐ **2** dans l'enseignement.	☐ **3** dans la banque.
c Elle fait le même travail depuis :	☐ **1** huit mois.	☐ **2** dix ans.	☐ **3** quinze ans.

d Ludmila :

	Vrai	Faux
1 n'a jamais aimé son travail.	☐	☐
2 aimait étudier l'anglais.	☐	☐
3 veut travailler dans l'enseignement.	☐	☐

e Quelles informations a-t-on sur la formation que Ludmila a trouvée ?

....

Pour...

→ Raconter un changement de vie

Événements et changement :
Je suis arrivée en France *il y a* dix ans.
J'ai travaillé pendant vingt ans.
Et puis j'ai eu des enfants.
J'ai décidé de changer de carrière.
J'ai changé de voie.

Situations et sentiments :
J'étais hôtesse d'accueil.
Je n'étais pas contente.
Je voulais travailler avec des étudiants.

Résultat :
Maintenant, je suis professeur.

Les mots...

Du parcours professionnel

travailler dans la banque / dans l'immobilier / dans un cabinet d'avocats / dans une entreprise
la carrière

Du changement

décider de changer de situation / de voie / de carrière

Vocabulaire

Les mots du parcours professionnel

3 Associez chaque phrase à une photo.

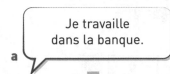
a ■

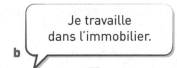
b ■

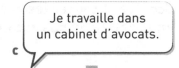
c ■

■ 1

■ 2

■ 3

4 Barrez les intrus.

travailler dans la banque   suivre une formation   travailler dans la carrière   faire des études   étudier   faire une carrière   étudier une formation   faire   écouter des études   une formation   formation   travailler dans une entreprise

Les mots du changement

5 Retrouvez les 3 mots du changement.

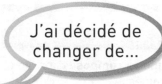
J'ai décidé de changer de...

1↓ 2↓ 3→

| Grammaire

Le passé composé et l'imparfait

6 Écoutez et cochez les réponses correctes. Puis écrivez le temps utilisé : imparfait (I) ou passé composé (PC).

	a	b	c	d	e	f	g	h
Rapporter des événements passés dans un ordre chronologique	☐	☐	☐	☐	☐	☐	☐	☐
Exprimer un changement	☐	☐	☐	☐	☐	☐	☐	☐
Décrire une situation	☑	☐	☐	☐	☐	☐	☐	☐
Décrire un sentiment	☐	☐	☐	☐	☐	☐	☐	☐
Le temps	I	....	....	....	....	....	....	....

7 Conjuguez les verbes entre parenthèses au passé composé ou à l'imparfait.

a J' *(travailler)* .... dans la banque pendant 15 ans, mais je *(ne pas aimer)* ....
mon travail, alors j' *(changer)* .... de voie.

b Elle *(finir)* .... ses études, puis elle *(suivre)* .... un stage dans une entreprise.
Elle *(être)* .... très contente.

c Mon mari et moi, nous *(se rencontrer)* .... aux États-Unis.
Nous *(être)* .... professeurs de français et nous *(adorer)* .... notre travail.

d Il *(être)* .... professeur de mathématiques, mais il *(ne pas aimer)* .... enseigner.
Il *(décider)* .... de changer de profession.

Il y a – pendant

8 Choisissez entre *il y a* et *pendant*.

a Je suis allée en Thaïlande *il y a / pendant* deux ans.
Je suis restée *il y a / pendant* deux semaines. C'était magnifique !

b Il a travaillé dans un cabinet d'avocats *il y a / pendant* dix ans.
Il y a / Pendant un an, il a décidé de changer de voie.

c Elle est arrivée en France *il y a / pendant* trois ans.
Elle a vécu à Paris *il y a / pendant* un an, puis elle est partie à Marseille.

d Elle a travaillé comme hôtesse d'accueil *il y a / pendant* cinq ans, mais elle n'aimait pas son travail.
Elle a commencé une formation pour devenir professeur de français *il y a / pendant* deux mois.

Grammaire

Le passé composé et l'imparfait

On utilise l'**imparfait** pour :
– décrire une situation : *J'**étais** hôtesse d'accueil.*
– décrire un sentiment : *Ce travail ne me **plaisait** pas.*

On utilise le **passé composé** pour :
– rapporter des événements passés dans un ordre chronologique :
  *J'**ai vécu** à New York.*
– exprimer un changement :
  *J'**ai décidé** de changer de carrière.*

Il y a – pendant

***Pendant* + passé composé** exprime une durée qui est terminée.
*J'**ai travaillé** dans un cabinet d'avocats **pendant** dix ans.*

***Il y a* + passé composé** situe un événement dans le passé.
*Je **suis arrivée** en France **il y a** dix ans.*

texto

44

▎Communiquer

Pour raconter un changement de vie

9 Choisissez une personne et écrivez son témoignage sur le site changerdevie.com.

Laurent

1994 : il a son diplôme d'ingénieur.

Septembre 1994-mars 1995 : il fait un stage dans une entreprise.

Avril 1995 : il part aux États-Unis. Il travaille à New York. Il aime son travail et il est très heureux.

1998 : il rencontre Héloïse, professeure de français. Ils se marient.

2000 : ils rentrent en France.

2000-2008 : il travaille dans une entreprise. Son travail n'est pas intéressant et il n'est pas content.

2008 : il fait une formation de photographe.

Maintenant : il est photographe pour un magazine.

Latifa

2000 : elle a son diplôme de droit.

2000-2005 : elle travaille dans l'immobilier à Paris. Elle aime son travail, elle est heureuse.

2005 : elle rencontre Vincent. Ils déménagent à Nantes.

2006 : ils ont leur premier enfant.

2007 : ils ont leur deuxième enfant.

2008 : Latifa travaille dans l'immobilier. Elle n'est pas contente, son travail ne l'intéresse plus.

2009 : elle fait une formation d'infirmière.

2012 : elle a son diplôme d'infirmière.

Maintenant : elle est infirmière dans un hôpital à Nantes.

---

changerdevie.com

Changer de vie !

Vous n'étiez pas heureux dans votre travail ?
Un jour, vous avez décidé de changer de carrière ?

Racontez votre histoire.

---

10 À l'oral, imaginez que vous êtes une personne de l'activité 9 et répondez aux questions du journaliste de changerdevie.com.

> * Qu'est-ce que vous avez étudié ?
> * En quelle année avez-vous eu votre diplôme ?
> * Qu'est-ce que vous avez fait après ?
> * Pourquoi avez-vous décidé de changer de voie ?
> * Qu'est-ce que vous avez fait comme formation ?
> * Qu'est-ce que vous faites maintenant ?

▎Phonétique

Les enchaînements

11 Écoutez et notez les enchaînements et les liaisons avec ⌐___.

  a J'ai été étudiant dans cette université.

  b Quel est votre parcours professionnel et universitaire ?

  c J'ai eu mon diplôme au Canada.

  d Elle a étudié le français comme une langue étrangère.

  e Il a appris l'arabe en Arabie saoudite.

  f Elle est partie travailler en Asie.

12 Écoutez encore une fois les phrases et répétez.

1 Vrai ou faux ? Écoutez la conversation entre Jules et Annabelle et cochez la bonne réponse. 🎧 **31**

		V	F
a	Jules a oublié son rendez-vous avec Annabelle.	☐	☐
b	Jules a rencontré une célèbre artiste.	☐	☐
c	Philomène est partie avec un homme.	☐	☐
d	Jules a retrouvé le sac de Philomène.	☐	☐
e	Philomène a invité Jules à son exposition.	☐	☐
f	Jules a décidé d'arrêter ses études universitaires.	☐	☐
g	Jules va écrire un article sur Philomène.	☐	☐

2 Lisez la présentation de l'exposition. Complétez la fiche et répondez aux questions.

Exposition	**Actualité**

Sculpture

Les Géants de papier, la magie de Philomène Gaspari   Du 01/02 au 30/03/2014

Née en 1974 à Bruxelles, Philomène Gaspari est une artiste belge toujours très surprenante. Ses sculptures d'animaux en papier nous transportent dans un monde coloré et magique. Un vrai bonheur ! Pour réaliser les 30 œuvres présentées à l'exposition, l'artiste a travaillé pendant 5 ans, ici, dans son atelier parisien, après un voyage en Afrique. Sa création la plus originale est peut-être *La Danse de l'éléphant rose.*
Courez vite découvrir le monde fantastique de Philomène !

a

> **1** Nom de l'exposition : ....
>
> **2** Nom de l'artiste : ....
>
> **3** Durée de l'exposition : ....

b Que peut-on voir à l'exposition ? ....

c Où l'artiste a-t-elle préparé son exposition ? Cochez.

☐ **1** En Afrique.   ☐ **2** En Belgique.   ☐ **3** En France.

d Le commentaire sur l'exposition est-il positif ? Citez 3 expressions pour justifier votre réponse.

....

....

3 Jules est allé à l'exposition. Il a pris rendez-vous avec Philomène Gaspari pour une interview. Il décrit l'exposition à Annabelle et raconte ce qui s'est passé. Imaginez le dialogue. Utilisez les mots suivants :

génial   rêve   beaucoup de monde   musique   coloré   création   éléphant   drôle   artiste   Afrique   dommage

texto

4 Jules prépare son interview avec Philomène Gaspari. Lisez la biographie de l'artiste et complétez les notes de Jules avec les dates.

Philomène GASPARI (1974)

• **L'enfance**

Philomène Gaspari est née le 30 mai 1974 en Belgique, à Bruxelles. Ses parents ont eu deux autres enfants, Célestin et Juliette. La famille de Philomène a beaucoup voyagé : son père, qui était avocat, a travaillé dans plusieurs cabinets à l'étranger.

• **Les études**

À l'âge de 18 ans, Philomène s'est inscrite dans une grande école en Belgique pour étudier le commerce international pendant 5 ans. Après ses études, elle s'est installée à Londres. Elle a vécu dans cette ville pendant 7 ans et elle a travaillé pour plusieurs grandes entreprises internationales.

• **La rencontre**

À l'âge de 30 ans, pendant un voyage en Italie, Philomène a rencontré Marcello Gaspari, un artiste peintre italien. Ils se sont mariés et un an après leur mariage, ils ont eu un enfant. Philomène a décidé de changer de carrière. Elle a suivi des cours de sculpture, sa passion, dans une école d'art à Rome pendant 2 ans.

• **La sculpture**

Après 4 ans de mariage, Philomène et Marcello ont décidé de s'installer à Paris, dans un petit atelier à Montmartre. Là, elle a pu réaliser ses œuvres, mais elle ne s'est pas enfermée dans son atelier. Elle a voyagé en Afrique et est revenue avec beaucoup d'idées originales.

Naissance : 1974

Études en Belgique : ....

Travail à Londres : ....

Mariage : ....

Naissance de son enfant : ....

Cours de sculpture : ....

Installation à Paris : ....

Voyage en Afrique : 2009-2010

5 Jules rencontre Philomène Gaspari. Imaginez ses réponses. Utilisez les informations de l'activité 4.

a – Philomène, pouvez-vous me parler de votre enfance ? → – *Je suis née...*

b – Quelle a été votre première vie professionnelle ? → – ...

c – Pourquoi avez-vous décidé de changer de carrière ? → – ...

d – Depuis quand habitez-vous à Paris ? → – ...

e – Parlez-moi de votre voyage en Afrique. → – ...

Leçon 13 | Ouais, c'est ça...

Comprendre

Les goûts

1 Classez ces phrases du plus négatif (☹) au plus positif (☺).

a J'aime faire du sport.

b J'adore lire.

c Je déteste la campagne.

d J'aime bien la musique.

e Je n'aime pas le bruit.

☹☹	☹	☺	☺☺	☺☺☺
……	……	……	a	……

2 Écoutez l'enquête et complétez la fiche de l'enquêteur. 32

		Personne 1	Personne 2
Âge		…………………	…………………
Études		…………………	…………………
Loisirs	☺	………………… …………………	………………… …………………
	☹	………………… …………………	………………… …………………

L'annonce de nouvelles

3 Dites quels messages annoncent une bonne nouvelle, une mauvaise nouvelle ou n'annoncent pas de nouvelle.

a Je suis au bureau. Je t'appelle ce soir.

b Mon père vient de rentrer à l'hôpital. Il est très malade.

c Sarah vient de naître ! Elle est arrivée cette nuit à 2h12. Elle est magnifique !

d Le petit chat vient de mourir.

e Un ciné ce week-end, ça te dit ?

f Je viens de gagner au loto ! Incroyable !

Pour...

→ **Exprimer ses goûts**

J'aime bien les livres.
J'aime bien Juliette.
J'adore les terrasses au soleil.
Ce que je préfère, c'est lire un bon livre.

→ **Annoncer une nouvelle (bonne ou mauvaise)**

Je viens de décrocher un job d'été.

Les mots...

Des loisirs

les lieux : le café, la terrasse, la campagne, sous un arbre, dans la nature, la mer

les activités : prendre le soleil, regarder le foot, lire, jouer aux jeux vidéo

les objets : des films, un bon livre, des jeux vidéo

Les expressions

C'est ma tournée !
= J'offre une boisson à chaque personne.

C'est super !
= C'est très bien / agréable / beau.

texto

	a	b	c	d	e	f
Une bonne nouvelle	☐	☐	☐	☐	☐	☐
Une mauvaise nouvelle	☐	☐	☐	☐	☐	☐
Pas de nouvelle	☐	☐	☐	☐	☐	☐

▌Vocabulaire

Les mots des loisirs

4 Associez.

prendre ▪   regarder ▪   jouer ▪   lire ▪   retrouver ▪

▪ au tennis   ▪ aux jeux vidéo   ▪ un livre   ▪ le soleil   ▪ des amis   ▪ un film   ▪ le foot   ▪ un journal

5 Reconstituez les mots puis associez les phrases aux photos.

LIS `I L S`

NAEREDGRT `R E G A R D E N T`

LE ☐☐

FOTO ☐☐☐☐

DSNA ☐☐☐☐

NU ☐☐

BRA ☐☐☐

a Photo ......

LIS ☐☐☐

NNTERPEN ☐☐☐☐☐☐☐☐

LE ☐☐

LOELIS ☐☐☐☐☐☐

À ☐

AL ☐☐

TAERESSR ☐☐☐☐☐☐☐☐

D'NU ☐ ' ☐☐

FACÉ ☐☐☐☐

c Photo ......

LI ☐☐

UOJE ☐☐☐☐

XUA ☐☐☐

XUJE ☐☐☐☐

VDIÉO ☐☐☐☐☐

NASD ☐☐☐☐

AS ☐☐

CAHBERM ☐☐☐☐☐☐☐

b Photo ......

LELE ☐☐☐☐

TIL ☐☐☐

SUSO ☐☐☐☐

NU ☐☐

BAERR ☐☐☐☐☐

À ☐

LA ☐☐

GANMECPA ☐☐☐☐☐☐☐☐

d Photo ......

1

2

3

4

Les expressions

6 Écrivez les expressions utilisées dans chaque situation.

a Quand on trouve que quelque chose est bien, agréable, beau : ....

b Quand on offre une boisson à chaque personne dans un café : ....

|**Grammaire**

Ce que / Ce qui... c'est

7 **Choisissez entre** *ce que* **et** *ce qui*.

a *Ce que / Ce qui* j'aime, c'est prendre le soleil à la terrasse d'un café.

b *Ce que / Ce qui* me plaît, c'est lire un bon livre au bord de la mer.

c Le cinéma, c'est *ce que / ce qui* est bien.

d *Ce que / Ce qui* je préfère, c'est me promener dans la nature.

e *Ce que / Ce qui* j'adore, c'est regarder un bon film en DVD.

f Aller à la campagne, c'est *ce que / ce qui* me repose le plus.

8 **Mettez les mots dans l'ordre pour former des phrases. Ajoutez les majuscules et la ponctuation.**

a c' – cinéma – que – j' – est – ce – aller – au – aime

....

b nous – c' – que – est – campagne – ce – la – préférons

....

c est – soleil – ce – bien – est – lire – un – livre – au – c' – qui

....

d jeux – est – qui – est – ce – jouer – aux – super – vidéo – c'

....

e que – c' – veux – ce – le – je – calme – est

....

f est – reposer – est – agréable – se – ce – sous – un – c' – arbre – qui

....

Le passé récent

9 **Conjuguez les verbes entre parenthèses au passé récent.**

a Je n'ai pas faim : je *(prendre)* .... mon petit déjeuner.

b Ils ne sont pas là : ils *(sortir)* ....

c Elle est triste : elle *(apprendre)* .... une mauvaise nouvelle.

d Tu es chez toi : tu *(rentrer)* .... du travail.

e Vous êtes fatigué : vous *(faire)* .... du sport.

f Son père est en colère : il *(recevoir)* .... son relevé de notes.

Grammaire

texto

Ce que / Ce qui... c'est

Ce que... c'est / Ce qui... c'est permet de mettre en valeur un mot.

Ce que + sujet + verbe + *c'est* + nom ou infinitif :
Ce que je préfère, *c'est* lire.

Nom ou infinitif + *c'est ce que* + sujet + verbe :
Lire, c'est ce que je préfère.

Ce qui + verbe + *c'est* + nom ou infinitif :
Ce qui est bien, *c'est* la lecture.

Nom ou infinitif + *c'est ce qui* + verbe :
La lecture, c'est ce qui est bien.

Le passé récent

Le passé récent (*venir de* + infinitif) est utilisé pour rapporter un événement récent.
Je viens de décrocher un job.

┃ Communiquer

Pour exprimer ses goûts

10 Vous cherchez un correspondant francophone. Écrivez un message sur le site parlerfrançais.com pour vous présenter.

Trouvez un correspondant francophone !

Prénom		Nationalité	
Âge	Profession		
Goûts			

11 À l'oral, dites ce que vous aimez, adorez, n'aimez pas ou détestez.

le soleil la télévision le cinéma
le sport les cafés la campagne
l'art la mer la pluie
la lecture la ville les voyages le français

Pour annoncer une nouvelle (bonne ou mauvaise)

12 Imaginez ce qui vient de se passer dans leur vie et écrivez les SMS pour annoncer la nouvelle.

a
....
....
Vincent et Gloria

b
....
....
Marc

c
....
....
Katia

d
....
....
Clarisse

┃ Phonétique

Les sons [ʃ] et [ʒ]

13 Écoutez. Combien de fois entendez-vous les sons [ʃ] et [ʒ] dans les phrases ? 33

	a	b	c	d	e	f
[ʃ] comme dans *chat*	....	....	....	....	....	....
[ʒ] comme dans *je*	....	....	....	....	....	....

14 Écoutez encore une fois les phrases et répétez. 33

Écologie

Comprendre

Un article sur le covoiturage

1 Lisez le texte. Répondez aux questions et choisissez les réponses correctes.

a Qu'est-ce que le covoiturage ?

....

....

b On peut faire du covoiturage avec :

☐ **1** ses amis.   ☐ **4** ses enfants.

☐ **2** ses clients.   ☐ **5** ses voisins.

☐ **3** ses collègues.

c On utilise le covoiturage seulement en ville.

☐ Vrai   ☐ Faux

Justifiez avec une phrase du texte : ....

d Quels sont les avantages du covoiturage pour l'environnement ?

....

e Quelles informations trouve-t-on sur les sites Internet de covoiturage ?

....

> ### Le covoiturage :
> **une voiture à plusieurs pour une destination précise**
>
> La majorité des voitures sont occupées par une seule personne. Face à cette situation, beaucoup de gens se regroupent pour partager leur voiture sur une destination commune : avec des voisins pour faire des courses, avec des copains pour aller à la fac, avec des collègues pour aller au travail ou avec des gens qu'ils ne connaissent pas pour faire le voyage ensemble et économiser un peu d'argent.
> Cette solution fonctionne en ville et à la campagne. Le résultat ? Moins de voitures en circulation, moins de pollution, plus d'économies et plus de relations entre voisins, entre collègues, etc. De nombreux sites Internet publient des offres et des demandes. Ils donnent aussi une idée du prix pour le voyage.

Un forum sur l'écologie

2 Lisez les interventions d'Audrey, Isabelle et Olivier, et cochez les réponses correctes.

	Audrey	Isabelle	Olivier
a J'économise le papier.	☐	☐	☐
b Je prends les transports en commun.	☐	☐	☐
c J'ai un logement « basse consommation ».	☐	☐	☐
d Je fais attention à ma consommation d'eau.	☐	☐	☐
e J'évite les sacs plastiques pour mes courses.	☐	☐	☐

Pour...

→ Présenter un problème et donner des solutions

*À **cause des** gaz à effet de serre, **le climat se réchauffe**. Il faut **donc** économiser l'énergie. **Grâce** aux énergies renouvelables, on pourra **diminuer la pollution**.*

Les mots...

De la protection et de l'environnement

la terre, la planète
l'écologie
le climat,
le réchauffement climatique
les gaz à effet de serre
l'énergie, les énergies fossiles,
les énergies renouvelables
la pollution, polluer

diminuer la consommation d'énergie,
économiser l'énergie
utiliser les énergies renouvelables
se mobiliser, lutter contre
proposer un plan

texto

Et vous ? Que faites-vous pour la Terre dans votre vie quotidienne ? Décrivez vos habitudes.

Audrey

En général, je prends le bus ou le tram pour me déplacer. J'ai aussi un vélo, mais je l'utilise seulement à la campagne. Pour mes études, j'utilise beaucoup l'ordinateur, c'est plus pratique que mille feuilles de papier ! Enfin, quand je vais au supermarché, j'ai toujours un gros sac en tissu. C'est plus solide qu'un sac en plastique !

Isabelle

J'habite à la campagne et je prends ma voiture pour aller travailler en ville. Je fais le voyage avec deux voisines. Le covoiturage, c'est plus sympa et plus économique ! Dans mon entreprise, je travaille sur l'ordinateur. Pas un seul papier sur mon bureau ! Ma maison consomme beaucoup d'énergie mais à la campagne, il n'y a pas autant de pollution qu'en ville et on utilise moins d'eau. J'utilise l'eau de pluie.

Olivier

En ville, j'utilise mon vélo et parfois ma voiture quand je vais au supermarché. Pour les courses, pas besoin de sac ! Je déteste le bus, qui est souvent bloqué à cause de la circulation. J'ai la chance d'habiter dans un logement moderne qui respecte l'environnement et j'ai appris à prendre des douches rapides !

▌**Vocabulaire** ───────────────────────────

Les mots de la protection et de l'environnement

3 Complétez le message avec : *l'effet de serre, la consommation, l'économie, la protection, les énergies renouvelables.*

Privilégier le naturel

Utiliser ...., c'est diminuer ....

d'énergies fossiles et donc lutter contre .... : le soleil ou le vent

peuvent être des solutions idéales pour chauffer une maison, par exemple. Dans les espaces Info-Énergie,

vous pourrez poser toutes vos questions sur .... d'énergie et sur

.... de l'environnement.

4 Associez.

a se mobiliser pour ■	■ **1** la consommation d'énergie
b lutter contre ■	■ **2** les énergies renouvelables
c utiliser ■	■ **3** un plan « climat-énergie »
d proposer ■	■ **4** le réchauffement climatique
e diminuer ■	■ **5** la protection de l'environnement

Grammaire

La cause

5 Associez puis faites des phrases avec *grâce à*, *à cause de* et *parce que*.

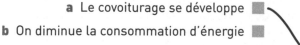

a Le covoiturage se développe ■		■ **1** les tarifs bas.
b On diminue la consommation d'énergie ■		■ **2** on économise l'énergie.
c Le climat se réchauffe ■		■ **3** les énergies renouvelables.
d On se mobilise pour la planète ■		■ **4** on consomme des énergies fossiles.
e On utilise les transports en commun ■		■ **5** le réchauffement climatique.
f On lutte contre la pollution ■		■ **6** les sites Internet d'information.

a Le covoiturage se développe *grâce aux sites Internet d'information*.

b On diminue la consommation d'énergie ....

c Le climat se réchauffe ....

d On se mobilise pour la planète ....

e On utilise les transports en commun ....

f On lutte contre la pollution ....

La conséquence

6 Transformez les phrases. Utilisez *c'est pour ça que*, *donc* ou *alors*.

La planète est en danger. Je suis dans une association écologique.
→ La planète est en danger, c'est pour ça que je suis dans une association écologique.

a Les voitures rejettent des gaz à effet de serre. On doit utiliser les transports en commun.

→...

b Le climat se réchauffe. Nous devons nous mobiliser pour la planète.

→...

c Les énergies fossiles polluent. On doit utiliser les énergies renouvelables.

→...

d Les transports en commun sont une bonne solution. On doit laisser la voiture au garage.

→...

e La protection de l'environnement est un devoir. Les départements proposent des plans.

→...

Grammaire

La cause

(RAPPEL) ***parce que (qu')*** + phrase :
Il faut développer les énergies renouvelables
parce que *les énergies fossiles polluent.*

« ***À cause de*** + nom / pronom » introduit une cause qui a un résultat négatif.
À cause des *gaz à effet de serre, le climat se réchauffe.*

« ***Grâce à*** + nom / pronom » introduit une cause qui a un résultat positif.
Grâce à *des sites Internet, le conseil général lutte contre la pollution.*

La conséquence

C'est pour ça que (qu') / donc /
alors + phrase :
Le climat se réchauffe. ***C'est pour***
ça qu'*il faut économiser l'énergie.*

Communiquer

Pour présenter un problème et donner des solutions

7 Charlotte et Thomas se mobilisent pour la protection de l'environnement.
Écrivez leur témoignage. Aidez-vous des dessins.

Charlotte, 22 ans, étudiante

Pour moi, lutter contre le réchauffement climatique est une priorité.

....

....

....

....

....

....

....

....

Thomas, 20 ans, étudiant

Nous devons agir tous les jours pour notre planète !

....

....

....

....

....

....

....

....

8 À l'oral, pour chaque situation, présentez le problème et proposez des solutions.

a

b

c

Phonétique

Les sons [ʃ] et [ʒ]

9 Écoutez et complétez avec *ch* quand vous entendez [ʃ] (comme dans <u>*ch*at</u>) et *g* quand vous entendez [ʒ] (comme dans *je*).

La consommation des éner......ies fossiles rejette des gaz et c'est pour ça que le climat se ré......auffe. Pour lutter

contre ce ré......auffement climatique qui représente un vrai dan......er pour la planète, le conseil ......énéral a

proposé un plan « climat-éner......ie ». Parmi les solutions proposées : covoitura......e, tarifs spécial jeunes dans

les transports en commun.

Leçon 15 ▌ Le loup

▌**Comprendre** ———————————————————

Des opinions

1 Écoutez ces 6 personnes. Notez de quoi elles parlent et si elles sont pour ou contre. **35**

Sujet	Pour	Contre
a	☐	☐
b	☐	☐
c	☐	☐
d	☐	☐
e	☐	☐
f	☐	☐

Un forum

2 Lisez les messages laissés sur ce forum et cochez les réponses correctes.

Pour ou contre la réintroduction de l'ours en France ?
Dangereux pour l'élevage ou utile pour préserver la biodiversité ?
Êtes-vous pour ou contre la réintroduction de l'ours en France ?

↗ **Participez vous aussi**

Les derniers messages

◀ Précédente   Pages 1 | 2 | **3** | 4 | 5 | 6 | 7 sur 7   Suivante ▶

»» « Absolument pour » **Michèle**, Saint-Cyprien
»» « Il faut laisser vivre une espèce en voie de disparition » **Garance**, Tours
»» « L'ours était là avant les hommes ! » **Guette**, Nice
»» « Inutile et cher » **Adriano**, Paris
»» « Pour la biodiversité » **Maxime**, Lyon
»» « L'ours a sa place autant que l'homme » **Jean-Claude**, Argelès
»» « Trop dangereux » **Dominique**, Reims
»» « Non aux ours » **Pierre**, Gagny

	Pour	Contre
Michèle, Saint-Cyprien	☐	☐
Garance, Tours	☐	☐
Guette, Nice	☐	☐
Adriano, Paris	☐	☐
Maxime, Lyon	☐	☐
Jean-Claude, Argelès	☐	☐
Dominique, Reims	☐	☐
Pierre, Gagny	☐	☐

Pour...

→ Donner une opinion (1)

Je pense que le loup est utile.
*Je trouve qu'*il est nécessaire.

Les mots...

Des animaux

la faune
les mammifères, les oiseaux, les poissons, les insectes
les animaux sauvages : le loup, l'ours, le chamois,
le bouquetin, le cerf, la marmotte
les animaux domestiques : le mouton, la brebis,
la vache, le chien, le chat
un éleveur, un berger

De la nature

la flore
une plante, une fleur,
un arbre
la biodiversité
un écosystème

Un site Internet

3 **Lisez la présentation de ces 3 parcs nationaux. Répondez aux questions puis regardez sur Google Maps où ils se trouvent.**

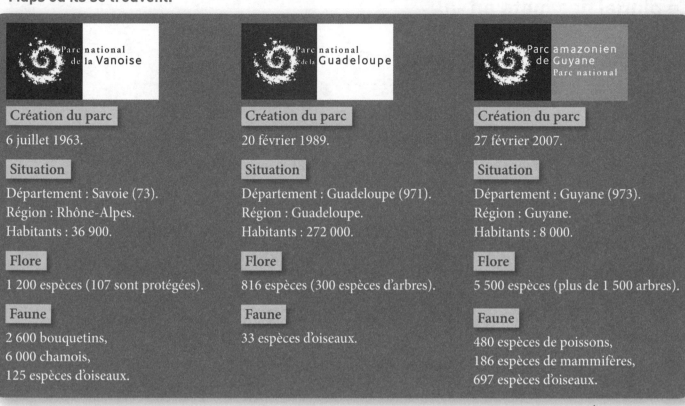

Parc national de la **Vanoise**

Création du parc

6 juillet 1963.

Situation

Département : Savoie (73).
Région : Rhône-Alpes.
Habitants : 36 900.

Flore

1 200 espèces (107 sont protégées).

Faune

2 600 bouquetins,
6 000 chamois,
125 espèces d'oiseaux.

Parc national de la **Guadeloupe**

Création du parc

20 février 1989.

Situation

Département : Guadeloupe (971).
Région : Guadeloupe.
Habitants : 272 000.

Flore

816 espèces (300 espèces d'arbres).

Faune

33 espèces d'oiseaux.

Parc amazonien de **Guyane**
Parc national

Création du parc

27 février 2007.

Situation

Département : Guyane (973).
Région : Guyane.
Habitants : 8 000.

Flore

5 500 espèces (plus de 1 500 arbres).

Faune

480 espèces de poissons,
186 espèces de mammifères,
697 espèces d'oiseaux.

a Quel est le parc le plus ancien ? ....

b Quel parc a le plus d'habitants ? ....

c Quel parc a le plus d'espèces de fleurs ? ....

d Dans quel parc y a-t-il le plus de mammifères ? ....

───── ❘ **Vocabulaire** ──────────────────────────────────

Les mots des animaux

4 **Associez chaque animal à une photo.**

le chamois ▪   la marmotte ▪   le bouquetin ▪   le mouton ▪   l'ours ▪   le loup ▪   le cerf ▪   la brebis ▪

▪ **a**   ▪ **b**   ▪ **c**   ▪ **d**   ▪ **e**   ▪ **f**   ▪ **g**   ▪ **h**

5 **Barrez l'intrus.**

a la vache – le chamois – le bouquetin – le cerf

b le mouton – le chien – le chat – l'insecte

c les ours – les loups – les moutons – les animaux sauvages

d le mammifère – le poisson – la vache – la brebis

e la brebis – le mouton – le cerf – le berger

f la marmotte – le cerf – la faune – l'ours

| Grammaire

Le pluriel des mots en *-al*

<u>6</u> Écrivez cette phrase au pluriel.

On parle de ce parc national dans le journal parce qu'il y a un animal rare.

....

Penser que / Trouver que + verbe à l'indicatif

<u>7</u> Complétez le texte avec les verbes : *cohabiter, être* (x2), *avoir, servir, pouvoir.*

– Est-ce que vous pensez que le retour des loups et des ours en France .... une bonne chose ?

– Je pense qu'on ne .... pas comparer ces deux animaux sauvages. Je trouve que le loup ne ....

vraiment à rien et qu'il .... très dangereux pour les hommes et pour les animaux. Ce n'est vraiment

pas juste pour les éleveurs et les bergers de voir leurs moutons attaqués et tués aussi souvent. Mais, pour l'ours,

je trouve qu'il .... mieux avec les hommes et qu'il y .... moins de problèmes avec lui.

Les pronoms compléments d'objet direct (COD)

<u>8</u> Retrouvez les réponses aux questions.

a Elle aime les chats ? ▨   ▨ **1** Oui, il m'a appelé à 19 heures.

b Tu as vu le parc national ? ▨   ▨ **2** Oui, et ils les mangent.

c Est-ce qu'il t'a téléphoné hier soir ? ▨   ▨ **3** Avec plaisir. C'est gentil de nous inviter.

d Vous venez déjeuner à la maison dimanche midi ? ▨   ▨ **4** Oui, elle les adore.

e Les loups attaquent souvent les moutons ? ▨   ▨ **5** Non, je ne l'ai pas visité.

<u>9</u> Mettez ces devinettes dans l'ordre, puis trouvez la réponse.

a les – Les – pas. – aiment – bergers – ne → ....

b loups – souvent. – attaquent – les – Les → ....

c le – Les – aiment – visiter. – touristes → ....

d pour – pas – la – Il – la – préserver – nature. – souvent – prend – ne → ....

....

Grammaire

texto

58

Les pronoms compléments d'objet direct (COD)

Les pronoms COD remplacent des noms de personnes ou d'objets.

	Singulier	Pluriel
1re personne	*me (m')*	*nous*
2e personne	*te (t')*	*vous*
3e personne	*le (l') / la (l')*	*les*

Ils se placent avant le verbe :
*On ne **le** <u>voit</u> pas.*
Ils se placent avant l'infinitif :
*Impossible de **le** <u>voir</u>.*

Le pluriel des mots en *-al*

-al → *-aux*
*un anim**al** → des anim**aux***
*un parc nation**al** → des parcs nation**aux***

Penser que / Trouver que + verbe à l'indicatif

*Les écologistes **pensent que** le loup <u>est</u> nécessaire.*
*Les éleveurs **trouvent qu**'il <u>est</u> inutile.*

◢ Communiquer

Pour donner une opinion

10 Donnez votre opinion sur 2 des sujets suivants.

a la cigarette électronique dans les lieux publics   Je pense que ....

b les gros chiens en ville   ....

c la voiture électrique   Je trouve que ....

d Facebook   ....

11 Laissez un message sur cette page Facebook.

Contre le retour du loup en Lozère

926 J'aime   45 personnes en parlent

📄 **Publier**   👤 Photo / Vidéo

....
....
....
....
....

Publier

◢ Phonétique

Les sons [s] – [ʃ] et [z] – [ʒ]

12 Écoutez. Entendez-vous [s] (comme dans _ski_), [ʃ] (comme dans _chat_), [z] (comme dans _douze_) **36** ou [ʒ] (comme dans _je_) ?

	a	b	c	d	e	f
[s] comme dans _ski_	☐	☐	☐	☐	☐	☐
[ʃ] comme dans _chat_	☐	☐	☐	☐	☐	☐
[z] comme dans _douze_	☐	☐	☐	☐	☐	☐
[ʒ] comme dans _je_	☐	☐	☐	☐	☐	☐

13 Lisez les phrases suivantes. Puis écoutez et répétez. **37**

a Dans ce zoo, il y a six zèbres et douze ours.

b Charlotte, Rose et Jessica sont suisses.

c Suzanne et ses amies jugent que ce n'est pas juste.

d Je pense que ces loups sont nécessaires dans ce parc national.

e Lise déjeune chaque jour à la maison.

f Sa sœur et sa cousine mangent souvent du poisson salé.

1 Écoutez la conversation entre Valentin, Elia et Céline. Choisissez les réponses correctes 🎧 38
et répondez aux questions.

a Valentin, Elia et Céline veulent partir en week-end à l'étranger. ☐ Vrai ☐ Faux

b Qui aime quoi ?

	1	2
Valentin	☐	☐
Elia	☐	☐
Céline	☐	☐

c Elia propose :

☐ **1** de faire du camping dans la nature.

☐ **2** d'aller dans un gîte écologique.

☐ **3** de loger à l'hôtel.

d Qu'est-ce qui est génial pour Elia ? ....

e Pour réserver, ils vont aller sur Internet. ☐ Vrai ☐ Faux

f Pourquoi ne partiront-ils pas tous les trois ? ....

2 Regardez le site Internet et répondez aux questions.

Un éco gîte Mercantour	du 2 au 4 pièces	Plans	Tarifs	Disponibilités	Réservation	Valdeblore	Accès	Labels	Liens

Éco gîte Mercantour
« À la croisée des chemins »

Location
pour un week-end ou à la semaine

Grâce au tourisme écologique, vous pouvez lutter
contre la pollution de la planète et vous engager
dans la protection de l'environnement.

Qualité environnementale
Énergies renouvelables

📶 WiFi
en libre accès

a Quel type de tourisme propose ce site ? Dans quel logement ?

....

b Où se trouvent ces logements ?

....

c Quel est le résultat positif de ce type de tourisme ?

....

3 Valentin et Elia rencontrent un touriste qui n'est pas respectueux de l'environnement. 🎧39
Écoutez leur discussion. Choisissez les réponses correctes et répondez aux questions.

a Elia parle à un homme qu'elle trouve sympathique. ☐ Vrai ☐ Faux

Expliquez pourquoi : ....

b L'homme s'excuse. ☐ Vrai ☐ Faux

c Cet homme :

☐ **1** adore les espèces rares.

☐ **2** a coupé des fleurs pour Elia.

☐ **3** a pris des fleurs pour sa copine.

d Elia est un peu en colère contre Valentin. Pourquoi ?

....

4 Elia et Valentin décident d'envoyer une carte postale à leur amie Céline. Écrivez le texte.
Utilisez *grâce à, c'est pour ça que* et *trouver que*.

Salut Céline !

5 Céline téléphone à Elia. Écoutez et mettez le dialogue dans l'ordre. Puis jouez la scène 🎧40
avec votre voisin(e).

a – O.K. Je t'embrasse.

b – Qu'est-ce que vous avez fait hier ?

c – Oui, des cerfs, des bouquetins et même un ours !

d – Bon, il m'appelle. Fais un bisou à Valentin. On se voit lundi.

e – Allô, Céline ?

f – Moi, j'ai passé la journée à la plage et j'ai rencontré un garçon très sympa.

g – Oui, super !

h – Des animaux domestiques ? Moi aussi j'ai vu des chiens et des chats.

i – Nous nous sommes promenés dans le parc et nous avons vu beaucoup d'animaux.

j – Salut Elia ! Alors, votre week-end à la campagne se passe bien ?

k – Mais si, il était magnifique ! Bon, et toi ?

l – C'est vrai ?

m – Mais non, des animaux sauvages.

n – Un ours ? Je ne te crois pas.

o – Oh, je vois !

1	2	3	4	5	6	7	8	9	10	11	12	13	14	15
e	......	......	......	......	......	......	......	......	......	......	......	......	......	......

Faits et gestes

1 Voici la table de Nathalie Bonomi. Est-ce comme cela qu'on sert le café dans votre pays ? Relevez ce qui est identique et/ou ce qui est différent.

....

....

....

....

....

....

2 Faites parler Nathalie et Simon.

....

....

3 Dans quels cas peut-on dire « On se dit tu » ? Cochez les bonnes situations.

a ☐ Un enfant à un enfant.

b ☐ Un enfant à une personne plus âgée.

c ☐ Dans la famille.

d ☐ Entre collègues.

e ☐ Un professeur à un collégien.

f ☐ Un employé à son directeur.

g ☐ Une voisine à une voisine.

h ☐ Vous à un(e) ami(e) d'un(e) ami(e).

i ☐ Une personne qui voit quelqu'un pour la première fois.

4 Les bonnes manières. Que dites-vous dans ces situations ?

Il y a beaucoup de monde dans le bus mais vous voulez avancer. → *Excusez-moi.*

a Vous voulez entrer en contact avec un vendeur dans un magasin. → ....

b On veut s'asseoir à côté de vous. La chaise est libre. → ....

c Vous voulez appeler le serveur dans un restaurant. → ....

d Votre téléphone sonne. Vous vous levez pour répondre. → ....

5 Faites parler Hugo.

Culture

6 Le Royal de Luxe. Cochez les bonnes réponses.

a Le Royal de Luxe est :

☐ **1** une compagnie d'un théâtre de Nantes.

☐ **2** une compagnie de théâtre de rue.

b Le Royal de Luxe met en scène :

☐ **1** des personnages humains.

☐ **2** des marionnettes géantes.

c Le Royal de Luxe est né :

☐ **1** à Nantes.

☐ **2** à Aix-en-Provence.

7 Le style des spectacles du Royal de Luxe. Barrez l'intrus.

a le bruit – la musique – la rue – le silence – les familles

b la danse – la surprise – la lecture – la joie – la sculpture

c géant – petit – original – mécanique – coloré

8 Que savez-vous du café de Flore ? Écrivez un court texte pour le présenter.

....

....

....

9 Décrivez les 3 photos. Qu'est-ce qui a changé ?

....

....

....

....

Leçon 17 | Nous vous rappellerons

| Comprendre

Une conversation

1 Écoutez les 2 conversations entre Ivan et Michel. Choisissez les réponses correctes et répondez aux questions.

a Michel est à la fac. Il regarde des annonces :

☐ **1** pour un appartement.   ☐ **2** pour un stage.   ☐ **3** pour un travail.

b Il veut partir en Australie pour :

☐ **1** les vacances de Pâques.   ☐ **2** travailler pendant l'été.   ☐ **3** faire du tourisme.

c Qu'est-ce qui lui manque pour partir ? ....

d Il a déposé son CV dans un magasin de vêtements.   ☐ Vrai   ☐ Faux

e Qui va lui faire passer un entretien d'embauche ? ....

Un article

2 Lisez l'article et associez les questions du journaliste aux conseils.

> ### Entretien d'embauche : *5 questions qu'on peut vous poser*
>
> Pendant l'entretien d'embauche, vous devez montrer que vous avez des réponses à toutes les questions. Voici 5 questions qui pourront vous aider à préparer votre entretien.
>
> **a** Pouvez-vous me parler de vous ?
>
> **b** Pourquoi voulez-vous travailler pour nous ?
>
> **c** Quels sont vos points faibles ?
>
> **d** Aimez-vous le travail avec d'autres personnes ?
>
> **e** Qu'aimez-vous faire le week-end ? Avez-vous des passions ?
>
> **1** Attention, restez professionnel. Il est important de toujours donner une bonne image de vous.
>
> **2** Cette question arrive souvent. La personne en face de vous cherche à vous connaître. Vous pouvez dire ce que vous voulez.
>
> **3** Dans une entreprise, vous travaillez avec d'autres personnes. Montrez que vous êtes capable de travailler seul mais que vous préférez le travail à plusieurs.
>
> **4** Vous devez vous préparer à cette question qu'on vous posera probablement. Il faut trouver une ou deux bonnes raisons.
>
> **5** C'est une question difficile. Vous devez montrer que vous vous connaissez bien et que vous pouvez changer.

Pour...

→ **Qualifier une action**

Ça ira **parfaitement**.
Il faut s'asseoir **doucement**.
Tu parles anglais **couramment**.

→ **Éviter les répétitions**

Tu **lui** dis bonjour.
Je vais **les** chercher.

Les mots...

De l'attitude

Il faut **avoir l'air** naturel.

Tu es lourd. (familier)
= Tu es stupide. Tu n'es pas gentil.

une simulation / simuler
= jouer une situation

se moquer

Du travail (1) / Des tâches

un CV (curriculum vitæ)
un entretien d'embauche
un job
un poste
saisonnier = qui ne dure qu'une saison
un aspirateur
passer l'aspirateur

Un dialogue

3 **Mettez le dialogue dans l'ordre.**

a – Qu'est-ce que tu penses de cette jupe rose ?

b – Bien sûr, pas de problème !

c – Et ma robe noire ?

d – Oui, comme ça, c'est parfait. Tu l'auras, ce travail !
Je suis sûre !

e – Tu peux m'aider à choisir mes vêtements pour
mon entretien de demain ?

f – C'est très bien le noir, mais tu ne penses pas
qu'elle est un peu courte ?

g – Oui, tu as raison... Je vais porter ma robe bleue
avec mes chaussures à talons.

h – Je trouve qu'elle fait trop décontractée. Tu dois
porter des vêtements un peu plus formels pour
ce poste de secrétaire.

1	2	3	4	5	6	7	8
e	....	....	....	....	....	....	....

┃Vocabulaire

Les mots de l'attitude

4 **Complétez le dialogue avec :** *avoir l'air, naturel, lourd, stupide, gentil, une simulation, se moquer,*
jouer la situation.

– Je dois passer un entretien demain. Tu peux m'aider ? Je voudrais faire .... Tu veux

bien .... avec moi ? Mais, s'il te plaît, ne .... pas de moi !

– Tu ne vas pas t'habiller comme ça ?

– Bon... Et avec ça, c'est mieux ?

– Pour un mariage, oui. Mais là, tu .... vraiment .... comme ça !

– Oh, tu es .... et tu n'es vraiment pas ....

– Mais tu dois absolument être plus .... !

Les mots du travail et des tâches

5 **Complétez le dialogue avec :** *poste, entretien d'embauche, CV, job, saisonnier.*

– Salut Karine, tu sais que je cherchais un .... pour l'été ? Eh bien, j'ai laissé mon ....

dans le restaurant à côté de chez moi et j'ai eu mon .... ce matin.

– Ça s'est bien passé ?

– Oui, très bien. Je travaillerai cet été comme serveuse.

– C'est un vrai .... ?

– Non, c'est un travail .... mais ça me va. Je ne veux pas être serveuse toute ma vie.

6 **Que font-ils ? Complétez les phrases.**

Il passe

a ....

Elle a / Elle passe

....

b ....

—| Grammaire |————————————————————————————

Les pronoms COD et COI

7 Complétez le texte avec *le, la, l', les, lui* ou *leur*.

> Ce travail ? Je .... ai trouvé grâce aux amis de mes parents. Ils ont un
>
> magasin de sport. Je suis allé .... voir et je .... ai expliqué que
>
> je cherchais un job pour l'été. Je .... ai laissé mon CV. Mme Deschamps
>
> .... a lu rapidement devant moi et m'a demandé de .... appeler
>
> un peu plus tard sur son portable. Je .... ai téléphoné deux heures après
>
> et elle m'a donné rendez-vous pour un entretien. Elle a été très gentille et ne
>
> m'a pas posé beaucoup de questions parce que ma mère, qui .... connaît
>
> depuis longtemps, ... a souvent parlé de moi. À la fin, elle m'a dit qu'elle
>
> était d'accord pour me prendre comme vendeuse pour l'été. Super, non ?

8 Que remplacent les pronoms en gras ? Associez.

a Elle **lui** dit qu'elle parle anglais couramment. ▨

b Elle **lui** pose des questions sur ses études. ▨

c Elle **lui** sourit pour **la** mettre à l'aise. ▨

d Elle **le** regarde attentivement. ▨

e Elle **lui** dit bonjour et ne s'assied pas tout de suite. ▨

f Elle demande à ses amis des conseils pour **l'**écrire. ▨

▨ **1** la responsable du personnel

▨ **2** la femme qui cherche un travail

▨ **3** le CV

Les adverbes de manière en *-ment*

9 Répondez aux questions avec un adverbe.

a Vous parlez espagnol ? *(courant)* → Oui, je parle espagnol ....

b Je parle trop fort ? *(doux)* → Oui, tu dois parler plus ....

c Il ne comprend pas très bien le français ? *(lent)* → Non, il faut lui parler très ....

d Il a cherché longtemps pour trouver un travail ? *(facile)* → Non, il a trouvé ....

e Tu comprends quand elle parle en français? *(parfait)* → Oui, je la comprends ....

| Grammaire |

Les pronoms COD et COI

Ils se placent avant le verbe.

Les pronoms compléments d'objet direct (COD)
s'utilisent avec les verbes sans préposition.
Je passe l'aspirateur. → Je le passe.

Les pronoms compléments d'objet indirect (COI)
remplacent des noms précédés de la préposition
à (ils répondent à la question « à qui ? »).

*Tu dis bonjour **à la directrice /
au directeur**.
(dire à) → Tu **lui** dis bonjour.
Tu donnes ton CV **aux directeurs**.
(donner à) → Tu **leur** donnes
ton CV.*

**Les adverbes de manière en
-ment**

La plupart des adverbes en
-ment se forment avec l'adjectif
au féminin + **-ment**.
*douce → doucement ;
parfaite → parfaitement*

❶ *Tu parles anglais **couramment**.*

◖ Communiquer

Pour passer un entretien d'embauche

10 Lisez le dialogue et imaginez les réponses de la jeune femme.

L'HOMME : Bonjour mademoiselle, je vous en prie, asseyez-vous.

LA FEMME : Nous avons regardé votre CV. Vous avez déjà travaillé comme vendeuse ?

LA JEUNE FEMME : ....

LA FEMME : Oui, mais nous ne vendons pas des aspirateurs.

LA JEUNE FEMME : ....

L'HOMME : Vous écrivez que vous parlez couramment anglais. Où avez-vous appris ?

LA JEUNE FEMME : ....

LA FEMME : Bien, merci. Nous vous rappellerons.

11 Votre amie doit passer un entretien d'embauche pour un poste de vendeuse et vous demande des conseils sur les vêtements qu'elle doit mettre ce jour-là. Imaginez le dialogue.

formel

décontracté

des vêtements

une veste

une robe

se moquer

avoir l'air naturel

un pantalon

des chaussures à talons

sombre

une jupe

12 Vous venez de passer un entretien d'embauche. Écrivez sur ce forum comment vous vous êtes préparé(e).

Forum

Travail ›› Préparation à un entretien d'embauche

....
....
....
....
....

◖ Phonétique

Les sons [p] et [b]

13 Écoutez. Entendez-vous [p] (comme dans _poste_) ou [b] (comme dans _boulot_) ? 42

	a	b	c	d	e	f
[p] comme dans _poste_	☐	☐	☐	☐	☐	☐
[b] comme dans _boulot_	☐	☐	☐	☐	☐	☐

14 Écoutez. Combien de fois entendez-vous les sons [p] et [b] dans les phrases ? 43

	a	b	c	d	e	f
[p] comme dans _poste_	....	....	....	....	....	....
[b] comme dans _boulot_	....	....	....	....	....	....

15 Écoutez encore une fois les phrases et répétez. 43

Leçon 18 | L'entretien

| Comprendre

Des conseils

1 **Lisez le document et répondez aux questions.**

a Que faut-il faire pour éviter les fautes d'orthographe ?

....

b Par quoi le message doit-il finir ?

....

....

c De quoi le candidat doit-il parler dans son mail de motivation ?

....

....

d Pourquoi faut-il envoyer le CV au format PDF ?

....

| Candidat | Employeur | Actualités | Informations |

pôle emploi **Conseils pour envoyer votre candidature par mail**

- Il ne faut pas que votre message contienne des fautes d'orthographe. Lisez-le plusieurs fois et, si possible, faites-le lire à une autre personne.
- N'oubliez pas de finir votre message par une formule de politesse, par exemple « Cordialement », puis par votre prénom et votre nom.
- La lettre de motivation devient un mail de motivation. Parlez d'abord de l'entreprise : vous devez montrer que vous la connaissez. Ensuite, il faut que vous expliquiez vos motivations pour le poste et que vous parliez de vos compétences et de vos qualités.
- Pour être sûr que la mise en page de votre CV ne changera pas et que le recruteur pourra l'ouvrir, envoyez-le au format PDF.

---

2 **Écoutez la conversation** **44**
entre Claire et Robert et complétez le CV.

Claire DURON
23 rue Lamartine – 44100 Nantes
06 85 97 21 64 – claireduron@gmail.com
27 ans, célibataire

FORMATION	EXPÉRIENCE PROFESSIONNELLE	
2011	2012-2014	Hôtesse d'accueil
2010	2010-2012	....
2005 Baccalauréat	....	

LANGUES	CENTRES D'INTÉRÊT
.... courant	....
.... courant	....
.... scolaire	....

---

texto

68

Pour...

→ Donner des conseils (2)

Il faut que vous restiez poli.
Il ne faut pas que vous arriviez
en retard.
Évitez les vêtements négligés.
Ne croisez pas vos bras.
Vous devez connaître l'adresse.

Les mots...

Du travail (2)

chercher / trouver un emploi
un chômeur / un demandeur
d'emploi / un candidat
une entreprise, un recruteur
une lettre de motivation
un entretien d'embauche
les compétences
les qualités

De la tenue, de l'attitude, du comportement

avoir une tenue et une coiffure soignées
donner une poignée de main ferme
regarder dans les yeux
s'asseoir correctement, le dos droit
croiser les bras, les jambes
être à l'aise / poli(e) / souriant(e) – sourire
montrer son savoir-vivre
saluer, remercier
être à l'écoute

Vocabulaire

Les mots du travail

3 Associez les mots pour former des expressions du monde du travail.

motivation – trouver – job – embauche – demandeur – lettre – chercher – entretien – emploi – saisonnier

Un demandeur d'emploi, ...

....

4 **Complétez la page Internet avec :**
compétences,
candidat,
poste, CV,
lettre de motivation,
~~qualités~~,
recruteurs,
entreprises,
chômeur,
entretien d'embauche,
emploi.

aide-emploi.net

Le site de la recherche d'emploi – Vos *qualités* sont notre chance !

Vous êtes .... ?

Vous cherchez un .... dans votre domaine de .... ?

Nous pouvons vous aider à trouver le meilleur .... rapidement !

Nous étudions votre ....

Nous vous aidons à écrire votre ....

Nous vous mettons en contact avec les .... des plus

grandes.................................. .

Nous vous préparons à l'.. .

Grâce à nous, vous serez le meilleur .... !

Les mots de la tenue, de l'attitude, du comportement

5 Certaines parties du corps sont importantes pendant un entretien d'embauche.
Dites ce qu'il faut faire ou ne pas faire.

f Il faut ....

Il faut regarder dans les yeux.

a Il faut ....

b Il ne faut pas ....

c Il faut ....

....

e Il faut ....

d Il ne faut pas ....

6 Cochez les réponses correctes.

Pour un entretien d'embauche, il faut :

☐ **a** avoir une tenue négligée.

☐ **b** avoir une tenue soignée.

☐ **c** montrer sa lettre de motivation.

☐ **d** montrer son savoir-vivre.

☐ **e** être ferme.

☐ **f** être poli.

☐ **g** être à l'aise.

☐ **h** être lourd.

☐ **i** être à l'écoute.

Grammaire

L'impératif + pronom complément

7 Écrivez des phrases comme dans l'exemple.

Un recruteur demande à un candidat d'envoyer son CV. → Envoyez-le.

a Une femme demande à son mari de la laisser parler. → ....

b Un professeur demande à un étudiant d'aider un autre étudiant. → ....

c Un ami vous conseille de téléphoner au recruteur. → ....

d Un vendeur propose à un client d'acheter une veste. → ....

e Vous demandez à un ami de lire ses messages. → ....

Le subjonctif présent

8 Conjuguez les verbes à l'indicatif puis au subjonctif.

Indicatif	Subjonctif présent		Indicatif	Subjonctif présent	
Venir			**Étudier**		
Présent ils/elles .... **Imparfait** nous .... vous	il faut	que je .... que tu .... qu'il/elle/on .... que nous .... que vous .... qu'ils/elles	**Présent** ils/elles .... **Imparfait** nous .... vous	il faut	que j' .... que tu .... qu'il/elle/on .... que nous .... que vous .... qu'ils/elles ....
Prendre			**Choisir**		
Présent ils/elles .... **Imparfait** nous .... vous	il faut	que je .... que tu .... qu'il/elle/on .... que nous .... que vous .... qu'ils/elles	**Présent** ils/elles .... **Imparfait** nous .... vous	il faut	que je .... que tu .... qu'il/elle/on .... que nous .... que vous .... qu'ils/elles ....

9 Écoutez et donnez des conseils. **45**

Préparer l'entretien soigneusement, tu. → Il faut que tu prépares l'entretien soigneusement.

Grammaire

texto

70

L'impératif + pronom complément

Le pronom complément **COD** ou **COI** se place **après le verbe** à l'impératif affirmatif.
Demandez-lui.

On utilise *moi, toi, nous, vous* pour les 1re et 2e personnes.
Asseyez-vous.

Le subjonctif présent

On utilise le subjonctif après *il faut que / il ne faut pas que*.
Il faut que vous **soyez** à l'aise.
Il ne faut pas que vous **arriviez** en retard.

Formation :
– pour *je, tu, il/elle/on, ils/elles* :
base de la 3e personne du pluriel au présent + *-e, -es, -e, -ent*.

il faut { que je sourie / que tu souries / qu'il/elle/on sourie / qu'ils/elles sourient } [suri]

– pour *nous, vous* :
subjonctif = imparfait.

il faut { que nous souriions [surijɔ̃] / que vous souriiez [surije] }

❶ Les verbes *être, avoir, aller, faire, pouvoir, savoir, vouloir* sont irréguliers.

▮**Communiquer**

Pour donner des conseils

10 Lisez l'e-mail de votre amie Sophie, puis écrivez le message de réponse.

○ ○ ○						
Relever	Nouveau message	Répondre	Rép. à tous	Réexpédier	Supprimer	Indésirable

De : sophie.bergerac@hotmail.com

Objet : Demande de conseils

Salut !

J'espère que tu vas bien.

Je n'ai pas de travail depuis deux mois,

je pense que je vais venir travailler dans

ton pays. Est-ce que tu peux me donner

des conseils pour chercher un travail ?

Merci :-)

Sophie

○ ○ ○										
Relever	Nouveau message	Répondre	Rép. à tous	Réexpédier	Supprimer	Indésirable	Imprimer	Rediriger	Renvoyer	Non lu(s)

De : ....

Objet : Re : Demande de conseils

....

....

....

....

....

.... Bises

11 Donnez des conseils à ces personnes.

Je suis demandeur d'emploi depuis un an.

a

J'ai un entretien d'embauche demain matin. Quel comportement je dois avoir ?

b

Je ne sais pas comment faire mon CV.

c

Je ne sais pas comment je dois m'habiller pour mon entretien d'embauche.

d

▮**Phonétique**

Les sons [f] et [v]

12 Écoutez. Entendez-vous [f] (comme dans *fin*) ou [v] (comme dans *avant*) ? 46

	a	b	c	d	e	f
[f] comme dans *fin*	☐	☐	☐	☐	☐	☐
[v] comme dans *avant*	☐	☐	☐	☐	☐	☐

13 Écoutez. Combien de fois entendez-vous les sons [f] et [v] dans les phrases ? 47

	a	b	c	d	e	f
[f] comme dans *fin*	....	....	....	....	....	....
[v] comme dans *avant*	....	....	....	....	....	....

14 Écoutez encore une fois les phrases et répétez. 47

71

Leçon 19 | Égalité !

| Comprendre

Des témoignages sur la parité

1 Lisez les témoignages et choisissez les réponses correctes.

*Êtes-vous pour la **parité** ?*

Anne, 45 ans,
directrice d'une agence de voyages
« Bien sûr, je suis pour la parité, mais je crois que l'égalité hommes-femmes est impossible à 100 %. Je trouve que les mentalités ont beaucoup changé depuis les trente dernières années, mais il faut continuer les efforts parce qu'il y a encore beaucoup de femmes qui ont des conditions de travail plus difficiles que les hommes. Je pense qu'une société qui fonctionne bien est une société qui offre les mêmes chances aux hommes et aux femmes. Les filles réussissent très bien à l'école, alors pourquoi est-ce qu'elles occupent des postes peu qualifiés ? Les femmes ont les mêmes compétences que les hommes pour avoir des postes à hautes responsabilités. »

Laurent, 42 ans,
responsables des ventes
« On parle beaucoup de parité, mais je crois que nous sommes loin de l'égalité absolue. Je pense que dans une entreprise, il faut des hommes et des femmes parce qu'ils ont des compétences qui se complètent. Je trouve que les hommes sont meilleurs pour diriger une équipe, c'est comme ça, ils savent prendre rapidement des décisions. Mais les femmes ont un rôle important parce qu'elles sont plus douces et grâce à elles, l'ambiance au travail est plus agréable. Mais ce serait bien que les femmes aient le même salaire que les hommes. Je ne comprends pas l'écart de salaire qui existe. Enfin, si une femme reste à la maison pour s'occuper de ses enfants, je pense que c'est un comportement très responsable. »

		Anne	Laurent
a	Les hommes et les femmes ont des compétences différentes.	☐	☐
b	Les hommes et les femmes ne peuvent pas être vraiment égaux.	☐	☐
c	Les femmes sont moins bonnes que les hommes pour diriger.	☐	☐
d	Il y a eu beaucoup de changements depuis trente ans.	☐	☐
e	L'ambiance au travail est meilleure quand il y a des femmes.	☐	☐
f	Il faudrait que les salaires soient les mêmes entre hommes et femmes.	☐	☐
g	Les filles ont de bons résultats pendant leurs études.	☐	☐
h	Les femmes peuvent avoir de grandes responsabilités dans la société.	☐	☐

Pour...

→ **Donner une opinion (2), exprimer des certitudes**

Je trouve / pense / crois que c'<u>est</u> utile.
Je suis sûr / certain que c'<u>est</u> utile.
Ce qui est sûr, c'est que c'<u>est</u> utile.

→ **Exprimer des souhaits**

Je voudrais / J'aimerais que ce <u>**soit**</u> utile.
Il faudrait / Ce serait bien que ce <u>**soit**</u> utile.

Les mots...

De l'égalité au travail, à la maison

la parité
l'égalité ≠ l'inégalité
le partage des activités domestiques / des tâches ménagères
un écart de salaire
gagner plus / moins, gagner 20 % de plus
changer les mentalités / les comportements
faire des efforts, combattre, prendre des mesures

Un micro-trottoir sur l'égalité hommes / femmes

2 Une journaliste a demandé à 5 personnes leur opinion sur la Journée de la femme. Écoutez et choisissez les réponses correctes.

	Opinion positive	Opinion négative	Sans opinion
Personne 1	☐	☐	☐
Personne 2	☐	☐	☐
Personne 3	☐	☐	☐
Personne 4	☐	☐	☐
Personne 5	☐	☐	☐

❚Vocabulaire

Les mots de l'égalité au travail, à la maison

3 Complétez avec des mots qui ont le même sens.

Horizontalement

4 pensées

6 lutter

7 différence

9 domestique

10 division

Verticalement

1 égalité

2 attitude

8 travail

3 argent

5 modifier

4 Les mots soulignés sont à la mauvaise place. Remettez-les à la bonne place.

En France, le ministère des Droits des femmes prend des <u>efforts</u> [mesures] pour combattre les <u>tâches ménagères</u> _____ entre les hommes et les femmes. Les mentalités et les <u>mesures</u> _____ <u>gagnent</u> _____. On note encore <u>le partage</u> _____ de salaire parce que les femmes <u>changent</u> _____ environ 20 % de moins que les hommes. À la <u>parité</u> _____, elles consacrent plus de temps que les hommes aux <u>inégalités</u> _____. Mais chez les jeunes couples, <u>un écart</u> _____ des activités domestiques est normal. Il faut continuer à faire des <u>comportements</u> _____ pour obtenir une réelle <u>maison</u> _____.

⎸Grammaire

Indicatif / Subjonctif

5 Conjuguez les verbes entre parenthèses à l'indicatif ou au subjonctif.

> Relever Nouveau message Répondre Rép. à tous Réexpédier Supprimer Indésirable Imprimer Rediriger Renvoyer Non lu(s) Lu(s) Signaler Rechercher
>
> Chère Emmanuelle,
>
> Félicitations pour ta victoire à la mairie ! Je trouve que c' *(être)* .... une très bonne nouvelle
> pour notre village. Je suis sûr que tu *(pouvoir)* .... réaliser de grands projets pendant les
> six prochaines années. Il faudrait que, toi et ton équipe, vous *(prendre)* .... rapidement des
> mesures pour améliorer la vie quotidienne des habitants. Je pense que tu *(devoir)* .... leur
> montrer qu'ils ont eu raison de voter pour toi. Ce serait bien aussi que la mairie *(écrire)* ....
> régulièrement une lettre d'information pour expliquer aux habitants les différentes actions réalisées.
> Je suis certain que tu *(avoir)* .... les compétences nécessaires pour changer les mentalités
> et je crois que les hommes du village *(vouloir)* .... t'aider.
> J'aimerais donc que tu te *(souvenir)* .... de mon amitié.
> À très bientôt,
> Laurent

Le subjonctif présent des verbes irréguliers

6 Écoutez l'homme et la femme, puis formulez leurs souhaits.

> *Ils ne savent pas cuisiner. → Il faudrait qu'ils sachent cuisiner.*

Le conditionnel

7 Complétez avec *vouloir* au conditionnel présent.

a Nous .... qu'il y ait plus d'égalité entre les hommes et les femmes.

b Ils .... que les mentalités changent rapidement.

c Tu .... que les hommes passent du temps avec leurs enfants.

d Je .... qu'une femme devienne présidente de la République.

e Vous .... que le gouvernement prenne des mesures efficaces.

Grammaire

Indicatif / Subjonctif (1)

Après l'expression d'une **opinion** ou d'une **certitude**, on utilise **l'indicatif** (présent, passé composé, futur...).
Je pense que c'est utile.
Je suis sûr que les comportements ont changé.
Après l'expression d'un **souhait**, on utilise le **subjonctif**.
Je voudrais que ce soit utile.

Le subjonctif présent des verbes irréguliers

aller – avoir – être – faire – pouvoir – savoir – vouloir

Le conditionnel

Pour exprimer un souhait, on utilise le conditionnel.
Formation : base du futur + terminaisons de l'imparfait (-*ais*, -*ais*, -*ait*, -*aient* ; -*ions*, -*iez*).
vouloir : je voudrais
être : ce serait bien

| Communiquer _____

Pour donner une opinion, exprimer des certitudes

8 Lisez les phrases et donnez votre opinion à l'oral.

Les femmes et les hommes peuvent faire les mêmes métiers.
a

Les hommes sont meilleurs que les femmes pour diriger une équipe.
b

Les femmes sont plus sensibles que les hommes.
c

Les hommes ne savent pas s'occuper des enfants.
d

Les femmes doivent rester à la maison pour éduquer les enfants.
e

Pour exprimer des souhaits

9 À l'oral, exprimez des souhaits pour chacune des situations suivantes.

a

b

c

d

| Phonétique _____

Les sons [p] – [f] et [v] – [b]

10 Écoutez. Entendez-vous [p] (comme dans *poste*), [b] (comme dans *boulot*), [50] [f] (comme dans *fin*) ou [v] (comme dans *avant*) ?

	a	b	c	d	e	f	g
[p] comme dans *poste*	☐	☐	☐	☐	☐	☐	☐
[b] comme dans *boulot*	☐	☐	☐	☐	☐	☐	☐
[f] comme dans *fin*	☐	☐	☐	☐	☐	☐	☐
[v] comme dans *avant*	☐	☐	☐	☐	☐	☐	☐

11 Écoutez et complétez les phrases avec *p*, *b*, *f* ou *v*. [51]

a Tra......ailler à ce ......oste est ......raiment ......atigant.

b ......endant l'entretien d'em......auche, il ne ......aut ......as ......arler trop ......ite.

c ......éa et ......aul ......ont trou......er un jo...... ......acilement.

d ......alérie ......eau......ont est une ......emme ......olitique im......ortante et in......luente.

e En ......rance, les hommes ......artici......ent ......lus aux tâches domestiques qu'a......ant.

f ......ernard et sa ......emme ......irginie ......iennent de trou......er un ......oste en A......rique.

12 Écoutez encore une fois les phrases et répétez. [51]

Bilan L'homme au foyer

1 **Écoutez la conversation entre Simon et son fils Loïc et choisissez les réponses correctes.**

    a La situation se passe :

       ☐ **1** au retour de l'école.

       ☐ **2** avant d'aller à l'école.

       ☐ **3** un jour sans école.

    b De quel sujet le professeur a-t-il parlé ?

       ☐ **1** Des tâches ménagères.

       ☐ **2** De la parité hommes / femmes.

       ☐ **3** Du travail des femmes.

    c Dans la classe, les enfants sont tous d'accord.

       ☐ Vrai   ☐ Faux

    d Les enfants se moquent de Loïc parce que son père :

       ☐ **1** fait les courses.

       ☐ **2** passe l'aspirateur.

       ☐ **3** travaille comme homme de ménage.

    e Loïc veut que son père continue à rester à la maison.

       ☐ **1** Oui.

       ☐ **2** Non.

       ☐ **3** Peut-être.

2 **Mettez le dialogue entre Simon et sa femme Naïma dans l'ordre. Puis écoutez pour vérifier.**

    a NAïMA : Tu es sûr ? Tu as arrêté depuis plusieurs années.

    b SIMON : Il n'a rien fait, mais ses copains se sont moqués de lui parce qu'il leur a dit que c'est moi qui reste à la maison. J'ai bien réfléchi. Je pense que je devrais peut-être recommencer à travailler. Loïc est grand maintenant.

    c NAïMA : Oui, et toi ?

    d SIMON : Moi oui, mais c'est Loïc. Les enfants se sont moqués de lui à l'école aujourd'hui.

    e NAïMA : Coucou, c'est moi !

    f SIMON : Oui, je pense que c'est le moment. Sur Internet, j'ai vu une annonce pour un travail saisonnier dans un hôtel. Ils cherchent des personnes qui parlent anglais couramment. Je pense que j'ai les compétences, mais il faut que je refasse mon CV.

    g SIMON : Bonjour ma chérie. Ça s'est bien passé ta journée ?

    h NAïMA : Qu'est-ce qu'il a encore fait ?

1	2	3	4	5	6	7	8
e	....	....	....	....	....	....	....

3 Regardez le nouveau CV de Simon. Imaginez les conseils que Naïma a donnés à son mari.
Utilisez *il faut que tu*, *il ne faut pas que tu*, *je trouve que tu* et l'impératif.

a Ancien CV

Simon BERNARD
13 allée Picabia - 93100 Montreuil
s.bernard@laposte.net
37 ans, marié

EXPÉRIENCE PROFESSIONNELLE
2004-2008   Directeur d'un hôtel *** – Nice
2000-2004   Sous-directeur d'un hôtel ** – Nice

FORMATION
2000   Master management international
1995   Baccalauréat

LANGUES
Anglais   parlé, lu, écrit
Italien   parlé

CENTRES D'INTÉRÊT
Sport   football

b Nouveau CV

Simon BERNARD
13 allée Picabia - 93100 Montreuil
s.bernard@laposte.net
37 ans, marié

EXPÉRIENCE PROFESSIONNELLE
Depuis 2008   Père au foyer
2004-2008   Directeur d'un hôtel *** – Nice
2000-2004   Sous-directeur d'un hôtel ** – Nice

FORMATION
2008-2010   Cours d'espagnol
2000   Master management international
1995   Baccalauréat

LANGUES
Anglais   courant
Espagnol   courant
Italien   parlé

CENTRES D'INTÉRÊT
Sport   football

4 Simon se prépare pour aller à son entretien d'embauche. Naïma lui donne des conseils
pour bien choisir ses vêtements et pour avoir un bon comportement pendant l'entretien.
Imaginez la conversation à l'aide des photos.

5 Simon se rend à son entretien d'embauche. À partir des informations du CV (activité 3), imaginez
ses réponses. Donnez une opinion et exprimez un souhait.

Le recruteur : Bonjour monsieur Bernard, asseyez-vous.

Simon : Bonjour madame.

Le recruteur : Vous avez une licence de management international, c'est ça ?

Simon : ....

Le recruteur : Parlez-moi de votre expérience professionnelle.

Simon : ....

Le recruteur : Et qu'avez-vous fait depuis 2008 ?

Simon : ....

Le recruteur : Pourquoi ?

Simon : ....

Le recruteur : Pourquoi vous et pas votre femme ?

Simon : ....

Le recruteur : Pourquoi voulez-vous recommencer à travailler ?

Simon : ....

Le recruteur : Merci. On vous rappellera.

Leçon 21 | **Et la salle de bains ?**

Comprendre

La description d'un appartement

1 Écoutez la conversation entre Anissa et Antoine. Numérotez les pièces dans l'ordre d'apparition puis donnez 2 informations sur chaque lieu.

a n° ......

....

....

b n° ......

....

....

c n° ......

....

....

d n° ......

....

....

e n° ......

....

....

Un forum

2 Lisez les messages et associez.

Macoloc
Forum

 Steffy — J'ai été en colocation trois fois, mais pour moi, c'est fini ! Partager un appartement avec des gens qui ne respectent pas les règles, c'est un enfer ! C'est presque impossible de trouver le bon candidat à la colocation.

 Amina — Ce qui est cool dans la colocation, c'est que ça fonctionne comme une famille : partage des tâches ménagères mais aussi des bons moments (préparer un bon repas, regarder un bon film...). On n'est jamais seul ! Et tu fais d'énormes économies de loyer !

 Enzo — Quand tu es étudiant dans une grande ville, c'est vraiment la meilleure solution parce que tu vis dans un grand appartement pour un loyer très correct. C'est l'occasion de créer des relations. Mais pour cohabiter, il faut des règles pour tout : le ménage, les horaires, les visites... Moi, je n'aime pas me sentir obligé de faire les choses.

---

texto

Pour...

→ **Caractériser un lieu**

*C'est la pièce **où** je travaille.*

→ **Décrire un cadre de vie**

Ce n'est pas très lumineux. / C'est lumineux.
C'est cool.
Il y a tout le confort.
Ce n'est pas très rangé. / C'est rangé.
Ce n'est pas très intime. / C'est intime.

Les mots...

Du logement
un(e) colocataire
les murs
installer
ranger
le désordre
faire le ménage
un placard
une cheminée

De la décoration
des photos
un tapis
exposer

Du mobilier (2)
une étagère
un canapé
un bureau

De la cuisine
la vaisselle :
les verres,
les couverts,
les assiettes

<table>
<tr><td></td><td>■ 1 aime la colocation.</td><td>■</td><td>■</td><td>A</td><td>Les colocataires vivent dans de grands logements.</td></tr>
</table>

■ **1** aime la colocation. ■

■ **A** Les colocataires vivent dans de grands logements.

a Steffy ■

■ **B** Vivre en colocation, c'est perdre sa liberté.

■ **C** Quand on vit en colocation, on ne se sent pas seul.

b Amina ■

■ **2** aime plus ou moins la colocation. ■

■ **D** On rencontre de nouvelles personnes.

c Enzo ■

■ **E** Les règles sont essentielles pour cohabiter.

■ **F** La colocation, c'est comme une famille.

■ **G** Trouver un bon colocataire est difficile.

■ **3** n'aime pas la colocation. ■

■ **H** Le partage est l'idée principale de la colocation.

■ **I** Grâce à la colocation, on économise de l'argent.

❙Vocabulaire ——————————————————

Les mots du logement

3 Complétez l'e-mail avec : *placard, murs, désordre, colocataire, cheminée, faire le ménage, installer, ranger.*

Relever   Nouveau message   Répondre   Rép. à tous   Réexpédier   Supprimer   Indésirable   Imprimer   Rediriger   Renvoyer   Non lu(s)   Lu(s)   Signaler   Rechercher

De : nicostakevy@gmail.com
À : martinot-aurélien@yahoo.fr
Objet : Appartement

Salut Aurélien,

Ça y est ! J'ai trouvé quelqu'un pour partager mon appartement. Ma nouvelle .... s'appelle Julia.

Elle arrivera samedi prochain et aura la chambre qui se trouve au bout du couloir. Pour le moment, c'est le

.... dans cette pièce : j'y mets toutes les choses qui ne sont pas utiles. Je dois tout .... !

Je dois aussi repeindre les .... Tu veux m'aider ? Je voudrais .... des étagères et

.... pour l'accueillir dans un endroit propre. Tu pourrais me passer ton aspirateur ?

Elle a aimé le grand .... où elle pourra mettre tous ses vêtements et elle a adoré le feu de

.... dans le salon. Merci d'avance de ton aide !

À très bientôt,

Nicolas

Les mots de la décoration, du mobilier et de la cuisine

4 Identifiez les objets sur le dessin.

a ....   b ....   c ....

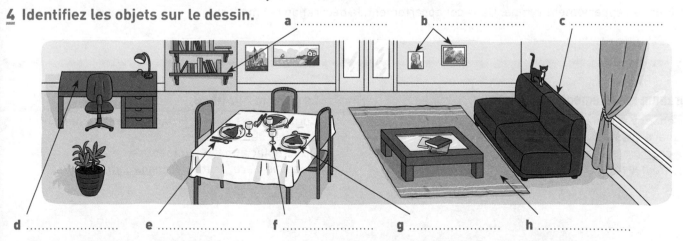

d ....   e ....   f ....   g ....   h ....

Leçon 21 | Et la salle de bains ?

Grammaire

Le pronom complément *y*

5 Récrivez le texte en utilisant *y* pour éviter les répétitions.

La maison de mon grand-père

J'ai beaucoup de souvenirs <u>dans cette maison</u> parce que quand j'étais petite, je passais toutes mes vacances <u>dans cette maison</u>. Je jouais <u>dans cette maison</u> en toute liberté. J'aimais découvrir de vieux objets <u>dans cette maison</u>. Mais je ne suis jamais restée seule la nuit <u>dans cette maison</u> parce que j'avais peur !

....
....
....
....
....
....
....
....
....

6 Répondez aux questions. Utilisez *y*.

a Tu vas visiter l'appartement de Bruno demain ? Oui, ...

b Votre famille habite à Nantes ? Non, ...

c Est-ce que tu vas rester tard au bureau ? Oui, ...

d Vous voulez mettre des livres sur les étagères ? Oui, ...

Le pronom relatif *où*

7 Faites une seule phrase. Utilisez *où*.

a C'est une grande pièce. Dans cette pièce, il y a trois fenêtres.

....

b C'est un petit studio. Je ne peux pas mettre de canapé dans ce studio.

....

c C'est une salle de bains confortable. On a installé une baignoire dans cette salle de bains.

....

d C'est un appartement sympa. Dans cet appartement, la décoration est moderne.

....

Grammaire

Le pronom complément y

Le pronom *y* remplace un complément de lieu. Il se place avant le verbe.
Cette chambre est petite. Je ne pourrai pas y ranger toutes mes affaires.

Le pronom relatif *où*

Comme *qui* et *que*, le pronom relatif *où* permet de relier deux phrases.
Où remplace un complément de lieu.
C'est une pièce. Je travaille dans cette pièce.
C'est une pièce où je travaille.

texto

❙Communiquer ──────────────────────────────

Pour caractériser un lieu

8 Identifiez les lieux sur les photos et trouvez une devinette pour chaque lieu.

a

b

Une salle de bains : c'est un lieu où on se lave.

c

d

Pour décrire un cadre de vie

9 Lisez la description de l'appartement et écrivez une annonce pour chercher un(e) colocataire. Décrivez l'appartement et la chambre que vous voulez louer.

Appartement de 3 pièces, 75 m², salon lumineux avec terrasse, vue sur jardin public, deux chambres, deux salles d'eau, une cuisine équipée, au 4ᵉ et dernier étage, avec ascenseur.
Chambre à louer confortable, 15 m², avec mobilier, Internet. 300 € / mois.

Bonjour,

Je cherche un(e) colocataire à partir du mois prochain pour partager ....
....
....
....
....
....

10 À l'oral, décrivez votre ville préférée, votre endroit préféré dans la ville où vous habitez et votre pièce préférée chez vous. Expliquez ce que vous aimez y faire.

❙Phonétique ──────────────────────────────

Le son [ʀ]

11 Écoutez. Entendez-vous [ʀ] au début, au milieu ou à la fin du mot ?

	a	b	c	d	e	f
[ʀ] au début du mot	☐	☐	☐	☐	☐	☐
[ʀ] au milieu du mot	☐	☐	☐	☐	☐	☐
[ʀ] à la fin du mot	☐	☐	☐	☐	☐	☐

12 Lisez les phrases suivantes. Puis écoutez et répétez.

a Renée et Pierre ont un très bel appartement.

b Patrick a rangé toutes leurs affaires dans leur placard.

c Marie pourra mettre son bureau dans leur chambre.

d Rose et Véronique iront faire le ménage chez leur mère.

Leçon 22 | **Citoyens**

|Comprendre ——————————————————

Une discussion

1 **Écoutez le dialogue entre Jacqueline, son fils Félix et sa fille Katy, et répondez aux questions.** 🎧04

  a Qu'est-ce que Félix a étudié en classe ? ....

  b De quoi Katy voudrait-elle qu'on parle ? ....

  c Qui est Olympe de Gouges ? ....

  d Quelles sont les 3 Déclarations universelles et leur date ?

    1 La Déclaration universelle des droits de .... en ....

    2 La Déclaration universelle des droits de .... en ....

    3 La Déclaration universelle des droits de .... en ....

Une affiche

2 **Associez chaque dessin à un article.**

Voici quelques articles de la Déclaration des droits de l'enfant :

1 Le droit à un nom et à une nationalité. → Dessin ......

2 Le droit à une éducation et à des soins spéciaux quand il est handicapé. → Dessin ......

3 Le droit à l'éducation gratuite. → Dessin ......

4 Le droit à l'amour des parents. → Dessin ......

5 Le droit à une alimentation, à un logement et à des soins médicaux. → Dessin ......

6 Le droit à l'égalité, sans distinction de race, de religion ou de nationalité. → Dessin ......

7 Le droit au développement physique et social. → Dessin ......

Pour...

→ Parler d'un ensemble de personnes

Tous les êtres humains doivent agir.
Toute personne a droit à l'éducation.
Tout le monde a le droit d'être parisien.
Chaque personne a droit à la propriété.

Les mots...

Des droits de l'Homme

l'Homme = les êtres humains
le citoyen
la liberté, libre
l'égalité, égal / égaux
la fraternité
le droit à la propriété, à l'éducation
sans distinction de sexe, de couleur,
de langue, de religion, de nationalité

De la caractérisation

pressé(e), stressé(e) ≠ calme, zen
râleur (râleuse) ≠ content (contente)
de mauvaise humeur ≠ de bonne
humeur
indiscipliné(e) ≠ discipliné(e)

texto

Un forum

3 Associez chaque situation à un conseil.

Pour rester zen, voici quelques conseils contre le stress !

a Vous avez beaucoup de travail et vous allez acheter un sandwich et le manger debout ou devant votre ordinateur ?

b Vous vous êtes endormi(e) devant la télévision et vous vous levez fatigué(e) le matin ?

c Vous devez être à neuf heures au boulot et vous vous levez à neuf heures moins le quart ? Vous devez courir tous les matins pour prendre le petit déjeuner et votre douche ? Vous partez au travail et vous êtes déjà stressé(e) ?

d Votre ordinateur vient de s'arrêter brutalement ?

e Les gens sont indisciplinés autour de vous ?

f Vous n'avez pas assez de temps pour faire ce que vous devez faire mais vous ne savez pas refuser quand on vous demande de faire quelque chose ?

g Quand vous prenez votre voiture pour aller au travail, vous êtes de mauvaise humeur et vous passez votre temps à râler ?

1 Levez-vous plus tôt.

2 Écoutez de la musique classique.

3 Prenez le temps de manger.

4 Apprenez à dire non.

5 Gardez votre bonne humeur.

6 Restez calme.

7 Dormez plus et mieux.

▎Vocabulaire

Les mots des droits de l'Homme

4 Complétez ces articles de la Déclaration des droits de l'Homme.

a Tous les hommes naissent l............................ et é........................... en d............................ . Ils doivent agir dans un esprit de f..................................... .

b Tous les ê........................ humains ont les mêmes d........................ sans d........................ de c........................, de s........................, de l........................, de r........................ .

c Chaque personne a droit à la p........................... et à l'é........................... .

Les mots de la caractérisation

5 Parmi les qualificatifs suivants, retrouvez les 7 que vous pouvez associer aux photos : *pressé, stressé, calme, zen, râleur, content, de mauvaise humeur, de bonne humeur, indiscipliné, discipliné.*

a .... **b** .... **c** .... **d** ....

e .... **f** .... **g** ....

| Grammaire

Les adjectifs indéfinis : *tout, toute, tous, toutes, chaque, quelques*

6 Complétez les phrases avec *tout*, *toute*, *tous*, *toutes*, *chaque* ou *quelques*.

a Je connais .... articles de la Déclaration des droits de l'Homme.

b .... les enfants doivent pouvoir aller à l'école.

c .... jour, il étudie un peu.

d .... les femmes de cette association cherchent un travail.

e .... le monde veut la même chose.

7 Faites 7 phrases avec les éléments suivants. (Plusieurs réponses sont possibles.)

	les enfants du monde	ont droit à l'éducation.
Tout	la journée	on parlera de ce sujet.
Toute	ces associations	sont à Marseille.
Tous	son école	a participé à cette B.D.
Toutes	les jours	il me parle de ça.
	la semaine	elle travaille.
	le monde	a le droit d'avoir un logement.

....

....

....

....

....

....

....

8 Mettez les mots dans l'ordre pour former des phrases.

a humains – en – les – droits. – naissent – égaux – Tous – libres – êtres – et

→ ....

b a – personne – à – Chaque – propriété. – droit – la → ....

c sa – droit – avoir – monde – a – le – d' – le – religion. – Tout → ....

d droits. – mêmes – personnes – ont – les – les – Toutes → ....

e qui – de – quelques – l' – Voici – parlent – éducation. – articles → ....

....

Grammaire

Les adjectifs indéfinis : *tout, toute, tous, toutes, chaque, quelques*

Tout le monde a le droit d'être parisien.
Toute personne a droit à l'éducation.
Tous les êtres humains naissent libres.
Toutes les personnes ont les mêmes droits.
Chaque personne a droit à la propriété.
Quelques droits de l'Homme.

texto

| Communiquer _____

Pour caractériser

9 Isabelle décide de quitter Paris et de s'installer à Nice. Elle explique à Sylvie pour quelles raisons elle est contente de partir de Paris. Imaginez le message qu'elle envoie à son amie.
Utilisez : *pressé, stressé, calme, zen, râleur, de mauvaise humeur, indiscipliné.*

Pour parler d'un ensemble d'êtres vivants

10 C'est la Journée internationale des droits des animaux. Choisissez un animal et écrivez les 3 premiers articles.

> ### Journée internationale pour les droits des animaux
> #### *10 décembre*
>
> ARTICLE 1 : Tous les ....
>
> ....
>
> ARTICLE 2 : Tous les ....
>
> ....
>
> ARTICLE 3 : Chaque ....
>
> ....

11 À l'oral, trouvez avec votre voisin(e) le maximum de droits des étudiants, des professeurs, des parents... Utilisez : *tous les, chaque, avoir droit à, avoir les mêmes droits, libres, égaux.*

| Phonétique _____

Le son [j]

12 Écoutez. Entendez-vous [j] (comme dans *travailler*) dans les mots suivants ? **05**

	a	b	c	d	e	f
J'entends [j] comme dans *travailler*.	☐	☐	☐	☐	☐	☐
Je n'entends pas [j] comme dans *travailler*.	☐	☐	☐	☐	☐	☐

13 Écoutez. Combien de fois entendez-vous les sons [j] (comme dans *travailler*) et **06** [ʒ] (comme dans *je*) dans les phrases ?

	a	b	c	d
[j] comme dans *travailler*	....	....	....	....
[ʒ] comme dans *je*	....	....	....	....

14 Écoutez encore une fois les phrases et répétez. **06**

15 Écoutez et écrivez *i* quand vous entendez [j] (comme dans *travailler*) et *j* quand **07** vous entendez [ʒ] (comme dans *je*).

Les ....eunes Paris........ens ne sont pas tou........ours sour........ants.

Leçon 23 | **Projet d'urbanisme**

| Comprendre ————————————————————

Des opinions

1 Écoutez les personnes donner leur opinion sur l'aménagement des voies sur berges à Paris. 08
Notez de quoi elles parlent et si elles sont pour ou contre.

Sujet	Pour	Contre
a	☐	☐
b	☐	☐
c	☐	☐
d	☐	☐
e	☐	☐
f	☐	☐

Un article

2 Lisez l'article et répondez aux questions.

Nantes :
l'aménagement du Parc des Chantiers

L'ancien chantier de construction de bateaux connaît des évolutions extraordinaires depuis juin 2006.
Les aménagements ont transformé ce nouveau quartier en lieu de promenade et de tourisme culturel.

Ce projet d'urbanisme aménage des espaces sur les berges de la Loire pour se promener à pied ou à vélo, mais pas en voiture. Il y a aussi quatre jardins avec des plantations et des équipements où les enfants peuvent s'amuser, et une plage avec des chaises longues pour prendre le soleil. Ce lieu accueille également des événements culturels : par exemple, on peut y voir les spectacles de la compagnie de théâtre de rue Le Royal de Luxe.

a De quoi parle cet article ?
....
....

b Pourquoi cet endroit s'appelle-t-il le Parc des Chantiers ?
....
....

c Que peut-on faire au Parc des Chantiers ?
....
....
....
....
....

---

texto

| Pour...

→ **Organiser son discours (1)**

*C'est un lieu magnifique. **Et puis, surtout**, on a voulu donner le maximum d'espace aux enfants. Il y aura des choses évolutives. **Par exemple**, les plantations. Elles seront plus petites fin juin que trois mois **après**, ou l'année suivante. On verra des bateaux de croisière **ou** des bateaux restaurants. C'est fou **mais** ça va ouvrir.*

| Les mots...

De l'urbanisme

les voies sur berges
un lieu, un endroit, un espace
des îles, des jardins, des plantations,
des chaises longues
une évolution, évoluer, évolutif (évolutive)
un projet, un chantier
un aménagement, aménager
des équipements

Du bien-vivre

une ville pas seulement à regarder, une ville à vivre
des opportunités
en profiter, se régaler
délirant(e)

Des enfants

les gosses, les gamins

❚Vocabulaire

Les mots de l'urbanisme et du bien-vivre

<u>3</u> **Barrez l'intrus.**

a un mur – un lieu – un espace – un endroit

b une plante – une fleur – un citoyen – une plantation

c en profiter – être malheureux – se régaler – s'amuser

<u>4</u> **Associez chaque photo à un mot.**

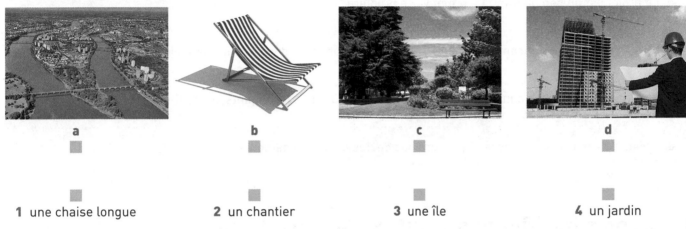

a ▪   b ▪   c ▪   d ▪

▪   ▪   ▪   ▪

1 une chaise longue   **2** un chantier   **3** une île   **4** un jardin

<u>5</u> **Complétez l'article avec :** *évoluer, espaces, en profiter, aménagement, équipements, évolution, chantier, opportunités, se régaler, projet, délirant.*

> ∎ **Angers**, *Rives Nouvelles* ∎
>
> L'.. des berges de la Maine montre l'engagement écologique et social de la ville d'Angers. Le .... d'urbanisme, présenté en mai 2013, propose un équilibre entre nature, culture, économie et bien-vivre, et souhaite donner un maximum d'.. et d'.. aux Angevins. Pour quelques personnes, ce projet est un peu ...., mais le maire d'Angers pense que tout le monde va .... Il redonnera l'accès aux rives de la Maine à ceux qui auront envie d'.. et proposera de nouveaux .... (lieux de promenades, de pratiques éducatives et sportives). Il fera aussi .... la ville sur le plan économique et touristique. Ce projet restera à l'écoute des Angevins et sera en .... permanente. Le .... durera de 2014 à 2021.

Les mots des enfants

<u>6</u> **Complétez le début de la chanson « Les Roses blanches » avec des mots synonymes d'***enfant***.**

C'était un _ a _ _ _ , un _ o _ _ _ de Paris, sa seule famille était sa mère.

—— | Grammaire ——————————————————————————————

L'opposition / La concession : *mais*

7 Reliez les phrases avec *et* ou *mais* comme dans l'exemple.

On peut se promener à pied. On ne peut pas se promener à vélo. → On peut se promener à pied mais pas à vélo.

a Il y a des jardins. Il y a des chaises longues.

....

b Le projet est un peu délirant. Le projet va se produire.

....

c On sait que le chantier commence en 2015. On ne sait pas quand le chantier sera livré.

....

d C'est un endroit où les adultes se régalent. C'est un endroit où les enfants se régalent.

....

e Il y aura de nouveaux espaces. Il n'y aura pas de nouveaux équipements.

....

Le pronom indéfini *tout* (*tout, toute, tous, toutes*)

8 Entourez le pronom indéfini correct puis dites s'il est sujet ou complément.

	Sujet	Complément
a *Tout / Tous* sera prêt à la fin de l'été.	☐	☐
b Ces villes, nous les visiterons *toute / toutes*.	☐	☐
c Je les déteste *tout / tous*, ces projets !	☐	☐
d Il y aura des petites îles. *Toutes / Tous* auront des jardins.	☐	☐
e Je vous écoute, dites-moi *tout / toute*.	☐	☐

9 Mettez les mots dans l'ordre pour former des phrases. Ajoutez les majuscules et la ponctuation.

a toutes – je – achète – les → ....

b ce – est – tout – dans – projet – parfait → ....

c là – été – tous – prochain – seront – l' → ....

d veut – les – tous – il → ....

e dans – est – tout – ville – possible – cette → ....

Grammaire

Le pronom indéfini *tout* (*tout, toute, tous, toutes*)

Il remplace un nom.
Il peut être sujet ou complément.
Tous les bateaux ne seront pas là.
→ **Tous** ne seront pas là.
J'aime *toutes les voies sur berges*.
→ Je **les** aime **toutes**.
Tout est livré.

L'opposition / La concession : *mais*

*C'est un endroit pour tout le monde **mais** où les enfants seront rois.*

*Il y aura des bateaux **mais** tous ne seront pas là dès l'été.*

texto

┃Communiquer

Pour organiser son discours

10 Regardez le projet Rives Nouvelles sur les berges de la Maine à Angers et écrivez un article pour le présenter.

> ### Angers, *Rives Nouvelles*
> ....
> ....
> ....
> ....
> ....
> ....
> ....

Avant

Après

11 Imaginez : vous êtes le maire d'Angers. Répondez aux questions du journaliste.

LE JOURNALISTE : Quels sont les grands aménagements du projet Rives Nouvelles ?

LE MAIRE : ....

LE JOURNALISTE : Qui en profitera le plus ?

LE MAIRE : ....

LE JOURNALISTE : Quelques personnes disent que c'est un projet délirant, que leur répondez-vous ?

LE MAIRE : ....

┃Phonétique

Les sons [ʀ] et [l]

12 Écoutez. Entendez-vous [ʀ] (comme dans *p<u>r</u>ojet*) ou [l] (comme dans *î<u>l</u>e*) ? 🎧09

	a	b	c	d	e	f
[ʀ] comme dans *p<u>r</u>ojet*	☐	☐	☐	☐	☐	☐
[l] comme dans *î<u>l</u>e*	☐	☐	☐	☐	☐	☐

13 Écoutez et complétez avec *r* quand vous entendez [ʀ] (comme dans *p<u>r</u>ojet*) et *l* quand 🎧10 vous entendez [l] (comme dans *î<u>l</u>e*).

a C'est un t......ès beau p......ojet d'u......banisme.

b C'est un lieu supe......be qui va ouv......ir p......ochainement.

c C'est comp......ètement inc......oyab......e !

d C'est v......aiment dé......i......ant !

e I...... y au......a des p......antes ve......tes.

f ......au......e Be......nard s'est ......éga......ée dans ce bateau ......estau......ant.

14 Écoutez encore une fois les phrases et répétez. 🎧10

1 **Écoutez la conversation entre Émilie et Florent, et choisissez les réponses correctes.** 🎧 11

   a Émilie est :

      ☐ **1** triste.   ☐ **2** stressée.   ☐ **3** énervée.

   b Émilie annonce à Florent :

      ☐ **1** qu'elle a découvert la vie parisienne.

      ☐ **2** qu'elle va partir à Paris pour son nouveau travail.

      ☐ **3** qu'elle cherche toujours un endroit où vivre à Paris.

   c À Paris, les appartements sont :

      ☐ **1** confortables.   ☐ **3** lumineux.   ☐ **5** magnifiques.

      ☐ **2** petits.   ☐ **4** bruyants.   ☐ **6** chers.

   d Maxime et Alicia :

      ☐ **1** vont inviter Émilie à Paris.   ☐ **2** louent une chambre.   ☐ **3** ont trouvé un colocataire.

   e Florent va :

      ☐ **1** voir son cousin.   ☐ **2** contacter son cousin.   ☐ **3** vivre chez son cousin.

2 **Émilie donne son opinion sur les Parisiens. Imaginez ce qu'elle dit à Florent à l'aide des dessins.**

      a   **b**   **c**   **d**   **e**

3 **Maxime et Alicia écrivent un e-mail à Émilie. Lisez-le et cochez les bonnes réponses.**

| Relever | Nouveau message | Répondre | Rép. à tous | Réexpédier | Supprimer | Indésirable | Imprimer | Rediriger | Renvoyer | Non lu(s) | Lu(s) | Signaler | Rechercher |

De : maxgirard@orange.fr

À : emilie.dufour@yahoo.fr

Objet : Chambre à Paris

Bonjour Émilie,

Florent m'a expliqué ta situation. Alicia et moi pouvons te louer une chambre. Nous habitons un quatre pièces de 85 m² dans le centre de Paris, à 2 minutes à pied de la Seine. Il y a un grand séjour, deux chambres et une autre chambre où tu peux t'installer, mais il n'y a pas de meubles. La salle de bains est assez confortable. Nous sommes au rez-de-chaussée, mais c'est très lumineux parce que toutes les pièces ont de grandes fenêtres et donnent sur un jardin privé. L'appartement se trouve dans un quartier calme. Mais l'inconvénient, c'est l'aménagement de la cuisine. On a un projet de chantier mais nous n'avons pas encore décidé de la date.

Nous pouvons te louer la chambre 350 €, tout compris.

Voilà ! Nous te proposons de venir à Paris pour visiter l'appartement.

À bientôt,

Maxime et Alicia

a Vrai ou faux ? Cochez la bonne réponse.

		V	F
1	Maxime et Alicia cherchent une colocataire.	☐	☐
2	Maxime et Alicia habitent près de la Seine.	☐	☐
3	Maxime propose un appartement à Émilie.	☐	☐
4	Maxime et Alicia vont refaire la cuisine.	☐	☐
5	Maxime va envoyer des photos de l'appartement.	☐	☐

b Cochez les informations qui se trouvent dans l'e-mail.

☐ **1** Dans Paris.　　　　☐ **4** Salle de bains privée.　　　　☐ **7** Lumineux.

☐ **2** Chambre meublée.　　☐ **5** Dernier étage.　　　　　　　☐ **8** Balcon / Terrasse.

☐ **3** Possibilité de cuisiner.　☐ **6** Calme.　　　　　　　　　　☐ **9** Jardin privé.

4 **Émilie va à Paris et rencontre Maxime et Alicia qui lui font visiter l'appartement.**
Mettez la conversation dans l'ordre.

a ÉMILIE : Bonjour !

b ÉMILIE : Oui, magnifique !

c MAXIME : Mais comme tu vois, il y a juste un canapé-lit. Il faudra que tu trouves un petit bureau.

d ÉMILIE : Non merci, je viens de prendre un café.

e MAXIME : Oui, la cheminée ne marche pas mais elle est belle, hein ?

f MAXIME : Bonjour. Tu dois être Émilie ? Entre ! Tu veux boire quelque chose ?

g ÉMILIE : Oh, il y a une cheminée et un placard dans la chambre ! C'est cool ! Je pourrai y mettre toutes mes affaires !

h MAXIME : Bon, Alicia est sortie faire des courses mais elle va revenir dans un instant. Je vais te montrer la chambre qu'on peut te louer.

i ÉMILIE : Je pense que je n'aurai pas de problèmes pour ça. Je vais travailler dans un magasin où on vend des meubles.

1	2	3	4	5	6	7	8	9
a	....	....	....	....	....	....	....	....

5 **Émilie, Alicia et Maxime ont commencé à écrire la Déclaration des droits des colocataires.**
Mettez les articles 1 et 2 dans l'ordre, puis imaginez les articles 3 et 4.

ARTICLE 1 : doivent – de – locataires – loyer – le 1er – mois. – les – Tous – payer – leur – chaque

....

ARTICLE 2 : a – une – qu' – locataire – il – pouvoir – Chaque – montrer – assurance. – doit

....

ARTICLE 3 : ....

....

ARTICLE 4 : ....

....

Faits et gestes

1 **Vous avez un entretien d'embauche. Choisissez les vêtements que vous porterez.**

a ☐   b ☐   c ☐   d ☐   e ☐   f ☐

2 **La bonne attitude pour un entretien d'embauche : qu'est-ce qu'il ne faut pas faire ? Cochez.**

☐ **a** Parler fort.

☐ **b** S'asseoir avant les autres.

☐ **c** Dire bonjour et serrer la main.

☐ **d** Dire « tu ».

☐ **e** Se rapprocher de la personne qui parle.

☐ **f** Se pencher sur le bureau.

☐ **g** Bouger sur sa chaise.

☐ **h** Répondre calmement.

☐ **i** Prendre des notes.

☐ **j** Être souriant.

3 **Dites-le autrement.**

a Taisez-vous ! → ....

b Levez-vous ! → ....

c Sortez !　　 → ....

4 **Complétez le dialogue entre Léo et Juliette avec : *peut-être*, *bien sûr*, *ouais*, *cool*, *bof*.**

Léo : Alors Juliette, tu en penses quoi de mon appartement ? Il te plaît ?

Juliette : ....

Léo : La chambre n'est pas mal !

Juliette : ...., ...

Léo : Tu vas la prendre ?

Juliette : ....

Léo : Tu n'es pas obligée de me répondre tout de suite.

Juliette : ....

texto

Culture

5 Regardez les photos et cochez les bonnes réponses.

a Quelle photo représente la Comédie-Française ?

☐ **1** ☐ **2** ☐ **3**

b Quelle est l'année de création de la Comédie-Française ?

☐ **1** 1780. ☐ **2** 1680. ☐ **3** 1789.

6 Associez les personnes aux photos. Justifiez votre choix.

a ▪ b ▪ c ▪

▪ **1** ▪ **2** ▪ **3** ▪ **4** ▪ **5**

7 Pour chaque annonce, dites de quelle ville il s'agit et justifiez votre réponse.

IMMORIGINAL | Annonces | Actualité | Investir

692 228 annonces immobilières

a	b	c	d
Appartement F2, 55 m², 1 km de la gare. Vue sur la Méditerranée. Proche commerces et transports. 980 € par mois charges comprises.	Beau studio 35 m². Tout confort. Proche métro et bord de Seine. Idéal pour célibataire. 1350 € + charges.	Appartement F4, centre-ville, écoles et commerces à proximité. Proche Loire, idéal pour promenades en famille. 1200 € charges comprises.	Très joli appartement de vacances, derrière le Negresco et très près de la promenade. F2, cuisine équipée, grandes fenêtres. 500 € la semaine.

Leçon 25 | C'est pas possible !

Comprendre

Une publicité

1 Lisez le document et répondez aux questions.

Cuisine en fête
Le magasin de votre cuisine

Petit électroménager   **Accessoires de cuisine**   **Arts de la table**

10 boulevard de Longchamp – 44 000 Nantes
Ouvert du lundi au samedi de 10 h 00 à 19 h 00

a Comment s'appelle le magasin ?

....

b Que peut-on acheter dans ce magasin ? Cochez.

 1 ☐   2 ☐   3 ☐   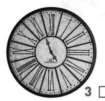 4 ☐   5 ☐   6 ☐

Des dialogues

2 Écoutez et associez chaque dialogue à un objet. 🎧 12

a   Dialogue n° ......   **b**   Dialogue n° ......   **c**   Dialogue n° ......   **d**   Dialogue n° ......

Pour...

→ Poser des questions sur un objet

Quel genre de cadeau ?
Lequel est le moins cher ?

→ Désigner un objet

Celui-ci fait des jus de fruits. **Celle-là** est pratique.

→ Dire la matière

Il est **en** métal, **en** plastique, **en** verre.

Les mots...

Des accessoires de cuisine

un robot ménager
un appareil
un modèle (de luxe / simple / basique)
un presse-agrumes

Des formes

rond(e)   carré(e)

De la caractérisation d'un objet

sympa / original(e)
design / actuel(le)
pratique
électrique / électronique / programmable
électroménager

┃Vocabulaire

Les mots des accessoires de cuisine

<u>3</u> Observez le dessin et cochez les réponses correctes dans le tableau.

	a	b	c	d	e	f	g	h	i	j
Les accessoires de cuisine	☐	☐	☐	☐	☐	☐	☐	☐	☐	☐
L'électroménager	☐	☐	☐	☐	☐	☐	☐	☐	☐	☐
La vaisselle	☐	☐	☐	☐	☐	☐	☐	☐	☐	☐
Les couverts	☐	☐	☐	☐	☐	☐	☐	☐	☐	☐

Les mots de la caractérisation d'un objet

<u>4</u> Complétez la grille avec des mots qui caractérisent un objet, puis classez-les dans le tableau.

L'esthétique de l'objet
....
....
....
....

La qualité de l'objet
....
....
....
....

Les mots des formes

<u>5</u> Écrivez le nom de chaque objet et sa forme.

a   b   c   d

C'est ....   C'est ....   C'est ....   C'est ....

....

──── **Grammaire** ────────────────────────────────

Le pronom interrogatif *lequel*

6 **Transformez les phrases comme dans l'exemple.**

Quelle forme vous aimez ? → Laquelle vous aimez ?

a Quel robot est en plastique ? → ....

b Quels modèles vous préférez ? → ....

c Quelle couleur est la plus sympa ? → ....

d Quel presse-agrumes est électrique ? → ....

e Quelles marques sont les plus connues ? → ....

7 **Entourez le pronom interrogatif correct.**

a Nous avons deux modèles électriques : *laquelle / lequel* préférez-vous ?

b Je cherche des assiettes originales : *lesquelles / lesquels* me conseillez-vous ?

c Celle-ci est ronde et celle-là est carrée : *laquelle / lequel* aimes-tu ?

d Il y a les robots basiques et les robots de luxe : *lesquels / lesquelles* vous intéressent ?

e Je veux acheter des couverts en plastique : *lesquels / lesquelles* sont les moins chers ?

Les pronoms démonstratifs

8 **Complétez avec des pronoms démonstratifs.**

a Je ne sais pas quel robot acheter, ... ou .... ?

b Tu prends quelles assiettes, ... ou .... ?

c Vous préférez quelle couleur, ... ou .... ?

d Quels modèles aimez-vous, ... ou .... ?

e Quel appareil vous voulez, ... ou .... ?

9 **Complétez le dialogue avec un adjectif ou un pronom démonstratif.**

– Je peux vous aider ?

– Je cherche des assiettes et des verres.

– Nous avons .... assiettes noires, très sympas. Ou .... , plus originales.

– Je préfère .... , elles sont plus classiques. Et les verres ?

– Nous avons différents styles : .... , qui sont très pratiques, et .... , plus design.

– Je vais prendre .... verres, ils iront bien avec les assiettes.

Grammaire

Le pronom interrogatif *lequel*

Il remplace un nom et s'accorde en genre et en nombre.

	Singulier	Pluriel
Masculin	*lequel*	*lesquels*
Féminin	*laquelle*	*lesquelles*

Lequel est le moins cher ?

Les pronoms démonstratifs

Ils remplacent un nom et évitent la répétition de ce nom.

	Singulier	Pluriel
Masculin	*celui-ci / -là*	*ceux-ci / -là*
Féminin	*celle-ci / -là*	*celles-ci / -là*

Quel appareil fait des jus de fruits ? **Celui-ci**.

texto

‖ Communiquer

Pour poser des questions sur un objet et désigner un objet

10 Vous voulez acheter un robot ménager.
Le vendeur vous propose ces 2 modèles.
Imaginez le dialogue.

Pour caractériser un objet (matière, forme)

11 Décrivez ces presse-agrumes pour le site Internet *Tour de cuisine*.

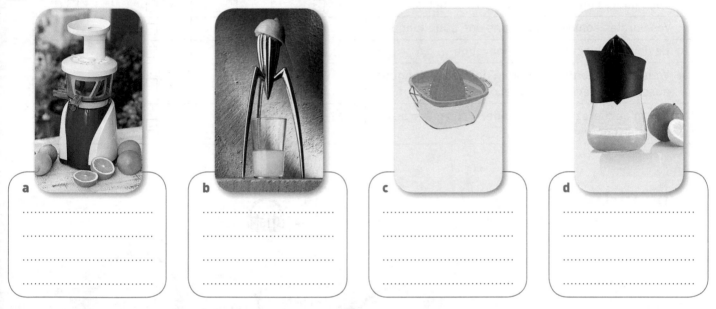

a ....

b ....

c ....

d ....

12 Choisissez un accessoire de cuisine et, à l'oral, décrivez-le à la classe qui doit trouver son nom.

‖ Phonétique

Les nasales

13 Écoutez. Entendez-vous [Ẽ] (comme dans *sympa* ou *lundi*), [ɔ̃] (comme dans *rond*) ‖13‖ ou [ɑ̃] (comme dans *orange*) ?

	a	b	c	d	e	f
[Ẽ] ([ɛ̃] ou [œ̃]) comme dans *sympa* ou *lundi*	☐	☐	☐	☐	☐	☐
[ɔ̃] comme dans *rond*	☐	☐	☐	☐	☐	☐
[ɑ̃] comme dans *orange*	☐	☐	☐	☐	☐	☐

14 Écoutez. Combien de fois entendez-vous les sons [ɔ̃] et [ɑ̃] dans les phrases ? ‖14‖

	a	b	c	d	e	f
[ɔ̃] comme dans *rond*	....	....	....	....	....	....
[ɑ̃] comme dans *orange*	....	....	....	....	....	....

Leçon 26 | Pub magazine

Comprendre

Des applications

1 Lisez les phrases et cochez la fonction décrite.

	Appareil photo	Traducteur	Téléphone	Alarme
a L'écran de prise de vue est très pratique.	☐	☐	☐	☐
b Vous pouvez enregistrer les numéros utiles.	☐	☐	☐	☐
c Vos paroles sont répétées dans une autre langue.	☐	☐	☐	☐
d Le double objectif est une innovation.	☐	☐	☐	☐
e Vous pouvez communiquer en différentes langues, aussi bien à l'écrit qu'à l'oral.	☐	☐	☐	☐
f Vous n'oublierez plus vos rendez-vous grâce aux rappels sonores.	☐	☐	☐	☐

Un micro-trottoir

2 Écoutez et notez quelles fonctions utilisent les personnes. 🎧 15

téléphoner — envoyer des SMS ou des MMS — consulter l'agenda — utiliser le traducteur intégré — prendre des photos — utiliser le GPS — utiliser l'horloge — aller sur les réseaux sociaux

Personne 1 : ....
Personne 2 : ....
Personne 3 : ....
Personne 4 : ....
Personne 5 : ....

Pour...

→ **Vanter les qualités d'un objet (1)**

*Un appareil photo **unique au monde**.*
***Doté d'**un appareil photo, le Galaxy S4 **innove grâce à** sa fonctionnalité Dual Camera.*
*Il **offre (même)** le son.*
*Il **peut** répéter.*
***Mon** smartphone, **ma** vie, **votre** traducteur.*
*Il traduit **aussi bien** vos e-mails, vos SMS ou des messages.*

Les mots...

Du smartphone

l'image : un appareil photo, un objectif, une photo (une prise de vue), des mégapixels
l'écrit : le texte, un SMS, un MMS
le son : la voix, enregistrer, l'oral
la fonction (= la fonctionnalité) : une application, un traducteur intégré

texto

Vocabulaire

Les mots du smartphone

3 Retrouvez les 13 mots du smartphone.

A	P	P	A	R	E	I	L	P	H	O	T	O
P	F	I	E	L	N	O	U	R	S	T	R	M
P	A	S	M	S	R	N	V	O	I	X	A	E
L	C	E	S	I	E	E	G	A	S	E	D	G
I	C	I	M	A	G	E	R	C	O	R	U	A
C	O	L	O	M	I	X	E	L	N	A	C	P
A	R	B	N	A	S	C	E	V	E	T	T	I
T	F	O	N	C	T	I	O	N	M	E	E	X
I	I	Z	U	R	R	A	T	E	T	X	U	E
O	X	O	B	J	E	C	T	I	F	T	R	L
N	S	M	M	S	R	E	A	S	I	E	R	S

4 Complétez la publicité avec : *SMS, mégapixels, sons, fonctionnalités, oral, appareil photo, image, traducteur, enregistrer*.

Ce smartphone est une véritable révolution technologique grâce à des .... très développées. Son .... vous permet de prendre des photos de très grande qualité grâce à ses 13 .... qui offrent une précision d'................................ extraordinaire. Ce smartphone permet aussi de garder les .... des meilleurs moments de votre vie : vous pouvez, par exemple, ... les rires de vos enfants. Découvrez enfin le .... intégré. Grâce à cette fonction, vous pourrez traduire en plusieurs langues tous vos messages aussi bien à l'écrit (e-mails, ...) qu'à l'................................ .

___ | **Grammaire** ___

Le gérondif

5 Complétez les phrases avec ces verbes au gérondif : *choisir, écrire, voir, lire, traduire, prendre*.

a J'ai découvert ce nouveau téléphone .... une publicité à la télévision.

b Mon smartphone m'aide .... les messages de mes clients étrangers.

c Je connais le temps qu'il va faire .... les prévisions météo sur mon smartphone.

d Je reste en contact avec mes amis .... des e-mails et des SMS.

e J'ai surpris mes amis .... des photos extraordinaires.

f Je crois faire un bon achat .... cet appareil.

La nominalisation

6 Trouvez le verbe qui correspond aux expressions comme dans l'exemple.

Faire des observations. → observer

a Faire des changements. → ....

b Faire des présentations. → ....

c Faire des enregistrements. → ....

d Faire des animations. → ....

e Faire des développements. → ....

f Faire des répétitions. → ....

g Faire des massages. → ....

h Faire des lavages. → ....

7 Transformez les phrases comme dans l'exemple.

On a corrigé les erreurs sur l'affiche. → On a fait des corrections sur l'affiche.

a On a classé les objets par couleur. → On a fait ....

b On chauffe de façon écologique. → On a ....

c On est limité sur le plan technologique. → On a ....

d On est bien équipé pour communiquer. → On a ....

e On aime innover parce qu'on veut surprendre les gens.

→ On aime ....

f On accompagne les clients pendant leurs achats.

→ On propose ....

Grammaire

La nominalisation

À partir d'un verbe, on peut former des noms avec les suffixes :
– **-teur / -trice** = la personne ou l'objet qui fait l'action ;
– **-tion**, **-age**, **-ment** = l'action.
traduire → un traducteur, une traductrice (personne ou objet qui traduit), *une traduction* (action de traduire)
partager → un partage (action de partager)
classer → un classement (action de classer)
Les noms qui finissent par *-teur, -age, -ment* sont masculins.
Les noms qui finissent par *-trice, -tion* sont féminins.

Le gérondif

Le gérondif exprime la manière (*Comment ?*).
Le Galaxy S4 offre le son à vos souvenirs
en enregistrant *les voix.*
Formation : *en* + **base du verbe** (1re personne du pluriel du présent) + *-ant*.
nous enregistrons → **enregistrant** → en **enregistrant**
❶ **Le pronom complément** se place après *en*.
En y intégrant le photographe.

▮ Communiquer

Pour vanter les qualités d'un objet

8 Vous êtes journaliste. Vous êtes allé(e) à un salon sur les hautes technologies où vous avez découvert une nouvelle application pour smartphone.
Observez la photo et écrivez un article pour présenter les avantages de cette nouvelle application.

9 Un(e) ami(e) hésite à changer son vieux téléphone portable contre un smartphone.
Vous essayez de le (la) convaincre de l'utilité du smartphone en lui vantant les qualités de cet objet : imaginez le dialogue.

10 Lisez le document sur les Français et le smartphone, et répondez : et vous ?
Quand l'utilisez-vous ? Que faites-vous avec ? Pourriez-vous vivre sans lui ? Pourquoi ?

Lire un livre
9 %

Écouter de
la musique
47 %

Regarder
la télévision
52 %

78 %
utilisent
leur smartphone
pour...

Aller sur
Internet
36 %

Regarder
des films
32 %

Jouer
aux jeux vidéo
19 %

Lire des
journaux
18 %

▮ Phonétique

La dénasalisation

11 Écoutez. Dans quel ordre entendez-vous le féminin et le masculin ?

	exemple	a	b	c	d	e
féminin	2	......	......	......	......	......
masculin	1	......	......	......	......	......

12 Lisez les phrases suivantes. Puis écoutez et répétez.

a C'est l'anniversaire de maman. On lui donne son cadeau maintenant ou demain ?

b Ton smartphone a des fonctionnalités qui sont vraiment sympas.

c Il a une fonction qui donne vie aux images en intégrant du son.

d Dans ce magazine, on parle des innovations électroniques qui vont révolutionner le monde.

Leçon 27 | **Pub radio**

| Comprendre

Une conversation téléphonique

1 **Écoutez la conversation téléphonique entre Caro et Phil. Choisissez les réponses correctes**  **18**
et répondez aux questions.

a Caro téléphone à Phil :

☐ **1** pour lui rappeler que c'est l'anniversaire de Véro.

☐ **2** pour lui proposer d'acheter un cadeau en commun à Véro.

☐ **3** parce qu'elle a une bonne idée pour l'anniversaire de Véro.

b Phil propose d'abord d'offrir à Caro : ☐ **1** un smartphone. ☐ **2** une imprimante. ☐ **3** un ultrabook.

c Phil a ensuite une meilleure idée. Laquelle ? ....

d Qui va acheter le cadeau ? Pourquoi ? ....

e Le prix de ce produit dans ce magasin est d'habitude de : ☐ **1** 80€. ☐ **2** 100€. ☐ **3** 125€.

Une publicité

2 **Regardez l'affiche publicitaire et lisez les commentaires sur le forum.**
Répondez aux questions et choisissez les réponses correctes.

Forum

Pierre — Pour 100 €, vous n'aurez pas un ordinateur, mais un jouet !

Léa — Je n'avais pas beaucoup d'argent et j'ai pu faire plaisir à ma petite fille qui voulait un ordinateur comme moi.

Catherine — C'est un super prix, mais je pense que c'est mieux de mettre 100 ou 150 euros de plus et d'avoir un ordinateur qui servira vraiment.

Fred — Ne l'achetez surtout pas ! Vos enfants ne pourront pas aller jouer sur des sites faits pour eux car l'ordinateur n'est pas assez rapide !

Pour...

→ **Vanter les qualités d'un objet (2)**

Un **super** prix.
Cet ordinateur est **en plus équipé**
d'un processeur Intel.
Retrouvez, **bien sûr**, tous les super prix !

Les mots...

Du multimédia

un portable, un ordinateur de bureau
un ultrabook
un écran tactile
un processeur
une imprimante
un scanner

De la promotion

une promo
une réduction
599 € **au lieu de** 699 €
moins 20 %

texto

a Pour qui est conçu cet ordinateur ? ....

b Vous l'achetez le 8 décembre : combien allez-vous le payer ? ....

c Que devez-vous faire pour le payer à ce prix ? ....

d Lisez les commentaires des internautes : que pensent-ils de cet ordinateur ? Leur avis est-il plutôt positif ou négatif ?

	Pierre	Léa	Catherine	Fred
Opinion positive	☐	☐	☐	☐
Opinion négative	☐	☐	☐	☐

❙Vocabulaire

Les mots du multimédia

3 Complétez la grille à l'aide des définitions.

Horizontalement

3 L'écran peut l'être.

5 Sans lui, on ne voit rien.

6 On ne peut plus travailler sans lui.

7 Pour imprimer un texte.

8 Qu'on peut prendre avec soi.

Verticalement

1 Pour transformer un document en image numérique.

2 Ordinateur très léger.

4 Le cœur de l'ordinateur.

Les mots de la promotion

4 Complétez cette publicité avec : *réduction, promotion, au lieu de.*

EN .... !

Du 10 au 20 mars

100 € de ....

avec le code PROMO.

780 € .... 880 €.

Grammaire

La troncation (la réduction des mots)

5 Associez.

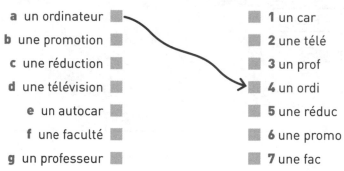

a un ordinateur ▦

b une promotion ▦

c une réduction ▦

d une télévision ▦

e un autocar ▦

f une faculté ▦

g un professeur ▦

▦ **1** un car

▦ **2** une télé

▦ **3** un prof

▦ **4** un ordi

▦ **5** une réduc

▦ **6** une promo

▦ **7** une fac

6 Trouvez la troncation de ces prénoms.

Alexandre → Alex

a Véronique → ....

b Isabelle → ....

c Léonard → ....

d Florence → ....

e Philippe → ....

f Caroline → ....

Le pronom *en*

7 Répondez aux questions en utilisant le pronom *en*.

Tu as des frères ? (2) → Oui, j'en ai deux.

a Et tu as un ordinateur de bureau ? (1) → Oui, ...

b Et un ultrabook ? (0) → Non, ...

c Il y a une radio sur ton vieux téléphone ? (0) → Non, ...

d Qu'est-ce que tu penses de ça ? (rien) → ....

e Elle a combien d'écran ? (2) → ....

Communiquer

Pour vanter les qualités d'un objet

8 Vous venez d'acheter un ultrabook en promotion. Vous en êtes très content(e). Postez votre témoignage sur un forum.

Grammaire

La troncation (la réduction des mots)

Beaucoup de mots peuvent être coupés.
– Le plus souvent, on coupe la fin du mot :
une promotion → **une promo**
– Parfois, on coupe le début du mot :
un autobus → **un bus**
– On peut faire la même chose avec certains prénoms :
Antonin → **Anto**

Le pronom *en*

– Le pronom **en** remplace *un(e), du, de la, de(s)* + nom.
J'achète un ordinateur. → *J'**en** achète un.*
Tu as des enfants ? → *Oui, j'**en** ai deux. / Non, je n'**en** ai pas.*
– Il s'utilise avec des verbes qui se construisent avec **de**.
*La marque Asus, qu'est-ce que tu **en** penses ?*
(Qu'est-ce que tu penses de la marque Asus ?)
– Comme les autres pronoms, **en** se place **avant** le verbe.
*Le nouvel ordi d'Asus, ils **en** parlent à la radio.*

texto

9 **Imaginez ce que dit le vendeur à ce client au rayon multimédia d'un grand magasin.**

LE CLIENT : Bonjour, vous pouvez m'aider ?

LE VENDEUR : ....

LE CLIENT : Je voudrais acheter un cadeau pour mon petit-fils.

LE VENDEUR : ....

LE CLIENT : Oh, il est grand ! Il vient d'entrer à l'université. Je voudrais lui offrir quelque chose pour l'aider dans ses études.

LE VENDEUR : ....

LE CLIENT : Il en a un, bien sûr, mais il est déjà un peu vieux.

LE VENDEUR : ....

LE CLIENT : Un écran tactile ? C'est vraiment utile sur un ordinateur de bureau ? Qu'est-ce que vous avez comme portable ?

LE VENDEUR : ....

LE CLIENT : Je le trouve un peu lourd. Vous n'avez rien de plus léger ?

LE VENDEUR : ....

LE CLIENT : Le prix n'est pas important, car je veux vraiment lui faire plaisir. C'est mon seul petit-fils !

LE VENDEUR : ....

LE CLIENT : Asus, c'est une bonne marque. On m'en a parlé. Alors d'accord, je le prends.

10 **Vous vendez votre ordinateur sur le site *Le Bon Coin*. Une personne est intéressée. Répondez à ses questions et vantez-lui votre produit. Utilisez : *super prix, en plus, équipé de, un processeur Intel, au lieu de*.**

Ordinateur Esprimo P2530 Intel Core 2 Duo
100 €

Ville : Montreuil – Code postal : 93 100

Description : Vends ordinateur Esprimo P2530 Intel Core 2 Duo. Ordinateur de bureau, clavier, souris sans écran (possibilité écran 17" 25 € en plus). Fujitsu Siemens Esprimo P 2530 Intel Core 2 Duo E 7300 2.66 GHz / 2048 Mo / 160 Go / DVD / Win 7 Pro + Office Pro 2010. À venir chercher sur place.

—∎ **Phonétique**—————————————————————————————————

Le mot phonétique

11 **Écoutez. Combien de syllabes entendez-vous ?**

exemple	a	b	c	d	e	f
3	....	....	....	....	....	....

12 **Lisez les phrases sans couper la voix.**

a Ils en ont souvent.

b On n'en a pas fait beaucoup.

c Elles en ont une à la maison.

d On en a une petite ici.

e Ils en prennent à midi.

f Ils n'en prennent pas.

13 **Écoutez pour vérifier et répétez.**

1 Écoutez la conversation entre monsieur Fauguet, le directeur artistique d'une agence de communication, et un client, monsieur Delasange. Choisissez les réponses correctes.

a Monsieur Delasange a travaillé plusieurs fois avec l'agence Créa +.

☐ Vrai   ☐ Faux

b Monsieur Delasange a vendu l'année dernière :

☐ **1** des presse-agrumes dans des magasins spécialisés.

☐ **2** deux modèles d'un même appareil ménager.

☐ **3** toutes sortes de produits basiques pour la maison.

c Le modèle qui s'est très bien vendu l'année dernière était :

☐ **1** de base.   ☐ **3** en verre.   ☐ **5** en métal.

☐ **2** luxueux.   ☐ **4** en plastique.   ☐ **6** cher.

d Monsieur Delasange veut lancer :

☐ **1** un ultrabook.   ☐ **2** un smartphone.   ☐ **3** un ordinateur portable.

e Le prix de ce produit sera :

☐ **1** 89 €.   ☐ **2** 90 €.   ☐ **3** 99 €.

f Dans trois semaines, l'agence Créa + pourra :

☐ **1** commencer à travailler sur ce nouveau produit.

☐ **2** présenter à son client ses nouvelles publicités.

☐ **3** donner ses publicités aux radios et aux journaux.

2 Monsieur Fauguet demande à son équipe de réaliser les 2 publicités pour son client. Mettez le texte dans l'ordre.

a et Julien et Tina, de celle pour les magazines.

b pour créer deux publicités pour un client qui n'est pas très facile.

c dans la journée la fiche technique de son produit.

d Bonjour à tous !

e Ses smartphones seront en promo dans les supermarchés pour la fête des Pères.

f Je sais que nous avons déjà beaucoup de travail, mais je n'ai pas pu refuser

g ça ira plus vite en partageant les tâches et en travaillant à deux.

h Je vous ai réunis aujourd'hui parce que nous avons trois semaines

i Qu'est-ce que vous en pensez ?

j et comme nous n'avons pas beaucoup de temps,

k Alors, Wanda et Isabelle, vous vous occuperez de la publicité pour les radios

l Il vend des smartphones et va nous envoyer

1	2	3	4	5	6	7	8	9	10	11	12
d	……	……	……	……	……	……	……	……	……	……	……

3 Pour trouver les points forts du smartphone de monsieur Delasange, Julien et Tina le comparent avec un autre smartphone du même prix. Choisissez 4 caractéristiques dans les fiches techniques et imaginez leur dialogue. Utilisez des pronoms interrogatifs et démonstratifs.

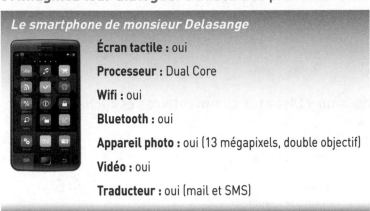

Le smartphone de monsieur Delasange

Écran tactile : oui

Processeur : Dual Core

Wifi : oui

Bluetooth : oui

Appareil photo : oui (13 mégapixels, double objectif)

Vidéo : oui

Traducteur : oui (mail et SMS)

Un autre smartphone

Écran tactile : non

Processeur : Dual Core

Wifi : oui

Bluetooth : oui

Appareil photo : oui (5 mégapixels)

Vidéo : oui

Traducteur : non

– Lequel a un écran tactile ?
– Celui-ci.

4 Écrivez la publicité magazine de Julien et Tina. Utilisez les informations des activités précédentes et donnez de nouvelles précisions.

5 Wanda et Isabelle ont travaillé sur la publicité radio. Lisez le texte de la publicité et imaginez la conversation qu'elles ont eue avant.

WANDA : Alors Isa, pour la pub radio du smartphone, on fait comme pour l'Asus du mois dernier ? On commence par le prix ?

ISABELLE : Oh, non, je pensais à une intro différente comme...

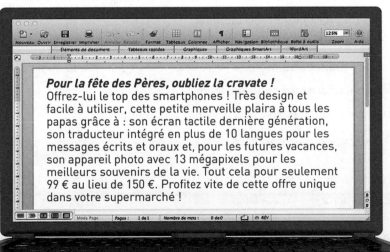

Pour la fête des Pères, oubliez la cravate !
Offrez-lui le top des smartphones ! Très design et facile à utiliser, cette petite merveille plaira à tous les papas grâce à : son écran tactile dernière génération, son traducteur intégré en plus de 10 langues pour les messages écrits et oraux et, pour les futures vacances, son appareil photo avec 13 mégapixels pour les meilleurs souvenirs de la vie. Tout cela pour seulement 99 € au lieu de 150 €. Profitez vite de cette offre unique dans votre supermarché !

Leçon 29 | La culture pour tous

▌Comprendre

Un forum

1 Que pensent ces internautes de l'art contemporain ? Lisez les commentaires et cochez les réponses correctes.

Que pensez-vous de l'art contemporain ? Êtes-vous pour ou contre ?	😞	😐	😊
a **Kevin,** 24 ans — L'art contemporain, c'est parfois un peu froid mais souvent très marrant. C'est pas toujours beau, mais je passe toujours un très bon moment dans les expositions.	☐	☐	☐
b **Patrick,** 39 ans — Quand on parle d'art, être pour ou contre n'a pas beaucoup de sens. Mais on peut aimer ou ne pas aimer. Moi, ça dépend. Parfois, j'aime, parfois, je déteste.	☐	☐	☐
c **Sonia,** 24 ans — Moi, je trouve que l'art contemporain est un art très original, créatif et souvent poétique. J'adore !	☐	☐	☐
d **René,** 68 ans — Il y a toujours eu de grandes discussions sur l'art ! À la fin du XIXᵉ siècle, tout le monde détestait les impressionnistes. Je ne suis pas contre l'art contemporain, mais je me pose des questions ; on verra bien s'il aura sa place dans l'avenir.	☐	☐	☐
e **Marie,** 37 ans — Je trouve ça vraiment très moche. Pour moi, ce n'est pas de l'art. Quand on voit des artistes comme Monet ou Manet, par exemple, ben c'est beau. Ça, c'est de l'art !	☐	☐	☐
f **François,** 42 ans — C'est laid et ça me laisse complètement froid. C'est bon pour les intellos.	☐	☐	☐

Une conversation

2 Écoutez la conversation entre Lisa, son fils Damien et son amie Hélène, et choisissez 🎧 **22** les réponses correctes.

a Lisa rencontre Hélène :

   ☐ **1** parce qu'elle a rendez-vous avec elle.   ☐ **3** en attendant d'entrer dans l'exposition.

   ☐ **2** par hasard en regardant un tableau.

b Damien va voir cette exposition :

   ☐ **1** pour faire plaisir à sa mère.   ☐ **3** parce qu'à l'école, on lui a demandé d'y aller.

   ☐ **2** parce qu'il adore l'art contemporain.

c Cette exposition a lieu à Paris.   ☐ Vrai   ☐ Faux

Pour...

→ Donner son avis

C'est nul ! ≠ C'est chouette !
C'est de l'art, ça ?
Ça surprend.
C'est marrant.
C'est intello.

C'est froid.
C'est sympa.
C'est poétique.
Ça me laisse froid.

Les mots...

De l'art

l'art contemporain
un tableau, une exposition

De l'appréciation

marrant(e) = amusant(e)
poétique
froid(e)
beau (belle) ≠ moche

Familiers

un truc
nul(le) (pas bien, ennuyeux)
le fric (l'argent)
un fric fou (beaucoup
d'argent)
Tu rigoles ! (Tu plaisantes !)
le boulot (le travail)
intello (intellectuel)

texto

d À la sortie de cette exposition, quelle est l'opinion de Lisa, Damien et Hélène ?

1 Lisa : ☐ a aimé. ☐ n'a pas aimé.

2 Damien : ☐ a aimé. ☐ n'a pas aimé.

3 Hélène : ☐ a aimé. ☐ n'a pas aimé.

e Comment trouvent-ils cette exposition : sympa, chouette, intello, marrante, ennuyeuse, poétique, froide, normale ?

Lisa la trouve .... ; Damien la trouve .... et .... ;

Hélène la trouve ....

f Cette exposition s'appelle :

☐ **1** Motopoétique. ☐ **2** Motomagnifique. ☐ **3** Motomagique.

▎Vocabulaire

Les mots de l'art

3 Complétez le carton d'invitation avec :
exposition,
art contemporain,
tableaux.

La galerie Ev'art

spécialisée en .... ,
vous invite au vernissage de son ....
le jeudi 20 mars 2014 à partir de 18 h 30.
L'artiste Fanny B. y présentera ses dernières créations :
des .... réalisés à l'acrylique sur
des photographies.

Les mots de l'appréciation

4 Retrouvez les qualificatifs puis associez-les aux définitions.

a NATRMRA ☐☐☐☐☐☐☐ ▪   ▪ **1** Qui fait sourire (en langue courante).

b OPÉTUQEI ☐☐☐☐☐☐☐ ▪   ▪ **2** Qui est très joli.

c COMHE ☐☐☐☐☐ ▪   ▪ **3** Qui laisse indifférent.

d SUTAAMN ☐☐☐☐☐☐☐ ▪   ▪ **4** Qui n'est pas beau.

e UEBA ☐☐☐☐ ▪   ▪ **5** Qui fait sourire (en langue familière).

f RDFIO ☐☐☐☐☐ ▪   ▪ **6** Qui fait rêver.

Les mots familiers

5 Classez les mots ou les expressions puis associez-les (plusieurs réponses sont possibles).

nul – le fric – un fric fou – tu plaisantes – pas bien – beaucoup d'argent – ennuyeux – l'argent – tu rigoles – le boulot – le travail – intello – nulle – intellectuel

Mots ou expressions familiers	Mots ou expressions courants

Leçon 29 | La culture pour tous

│Grammaire

La négation

6 Répondez négativement aux questions. Utilisez : *ne / n'... rien, ne / n'... personne, ne / n'... jamais* ou *ne / n'... plus.*

a Tu comprends quelque chose à ce tableau ? → Non, je ....

b Il va encore à son cours de peinture ? → Non, il ....

c Elle retournera au musée d'art contemporain ? → Non, elle ....

d Il y avait du monde à cette exposition ? → Non, il ....

e Tu achèteras quelque chose à cet artiste ? → Non, je ....

7 Mettez les mots dans l'ordre pour former des phrases. Ajoutez les majuscules et la ponctuation.

a ne – art – à – père – l' – comprend – contemporain – son – rien

....

b des – il – jamais – dans – galeries – va – ne

....

c n' – exposition – personne – cette – intéresse

....

d plus – ne – tableaux – se – vendent – ses

....

Les niveaux de langue

8 Écrivez ce dialogue en langue courante.

MAUD : Alors ton nouveau **boulot** / .... ?

KEVIN : J'ai commencé la semaine dernière. J'étais content le premier jour, mais après j'ai passé mon temps à faire des **trucs nuls** / .... C'est trop **intello** / ....

pour moi. En plus, c'est vraiment mal payé. J'ai besoin **de fric** / .... pour pouvoir prendre un studio avec ma copine.

MAUD : Tu sais, j'ai un ami qui fait des pizzas dans un restaurant. Lui, il gagne **un fric fou** / ....

.... !

KEVIN : Tu **rigoles** / .... ?

Grammaire

La négation

À propos d'une chose : *ne / n'... rien*
*Je **ne** comprends **rien**.*
À propos d'une personne : *ne / n'... personne*
*Ça **n'**intéresse **personne**.*
À propos de la fréquence : *ne / n'... jamais /*
plus
*Je **ne** vais **jamais** dans les musées.*

Les niveaux de langue

	Niveau courant	Niveau familier
Vocabulaire	Pas de mots spécifiques.	Utilisation de mots familiers.
Grammaire	Les règles de grammaire et de construction de la phrase sont respectées.	– Les règles de grammaire ne sont pas toujours respectées. – Suppression du *ne* (*n'*) de la négation.

Communiquer

Pour donner son avis

9 Vous êtes allé(e) au musée national
d'Art moderne au Centre Pompidou.
Après la visite, vous avez observé
la fontaine de Niki de Saint Phalle.
Écrivez vos impressions.

10 Votre amie Sandra a laissé un message sur votre répondeur pour vous demander de l'accompagner
à une exposition d'art contemporain. Vous détestez ça. Répondez-lui en français familier.

11 Un journaliste a demandé à 6 personnes ce qu'elles pensaient de cette sculpture de Bernard
Venet et de l'art contemporain. À l'oral, imaginez les réponses en français courant et familier.

Phonétique

Les sons [k] et [g]

12 Écoutez et complétez avec *c* quand vous entendez [k] (comme dans *culture*) et *g* quand
vous entendez [g] (comme dans *regardez*).

a ......aston adore l'art ......ontemporain ......re...... .

b La ......ulture, ce n'est pas le tru...... d'A......laé.

c C'est une ......rande s......ulpture qui ......oûte un fri...... fou.

d Les ......osses ont ri......olé en re......ardant ce spe......ta......le de danse ......ontemporaine.

e Cette gi......antesque s......ulpture de ......amine est une ......réation ......hanéenne.

f Ce s......ulpteur portu......ais est très ......onnu et il ......rée des œuvres pour de très ......randes ......aleries.

13 Écoutez encore une fois les phrases et répétez.

Leçon 30 | Manif...

| Comprendre

Des flashs à la radio

1 Écoutez les flashs infos et complétez le tableau. 24

	Numéro du flash	Revendication
a	....	
b	....	
c	....	
d	....	
e	....	

Pour...

→ Revendiquer

*Nous, chômeurs, chômeuses, nous **exigeons** l'arrêt des expulsions.*
*Nous **réclamons** le respect du droit du travail.*
*Nous **demandons** que la précarité **soit** supprimée.*
*Nous marcherons sur Paris **parce que** nous refusons le chômage.*

Les mots...

De la revendication

souhaiter, proposer, demander, réclamer, exiger, refuser
manifester, une manifestation
marcher, une marche

Du travail

un(e) chômeur (chômeuse), le chômage
un emploi précaire, la précarité
un(e) salarié(e) à temps partiel
un CDD, un CDI
le droit du travail
la réduction du temps de travail

Du social

le dialogue social, des mesures sociales
la négociation, négocier
solidaire, la solidarité
la régularisation, régularise
des sans-papiers
les sans-logis, les mal-logé
une expulsion
la crise

texto

❘**Vocabulaire**

Les mots de la revendication

2 Retrouvez les verbes qui ont le même sens.

marcher – exiger – manifester – souhaiter – refuser

a vouloir → ....

b protester → ....

c défiler → ....

d ne pas vouloir → ....

e réclamer avec force → ....

Les mots du travail

3 Associez.

a Sonia a perdu son travail ▦   ▦ **1** car son temps partiel ne lui permet pas de payer son loyer.

b Les chiffres sont mauvais, ▦   ▦ **2** grâce à la loi sur la réduction du temps de travail.

c Son emploi n'est pas sûr ▦   ▦ **3** le gouvernement ne peut pas inverser la courbe du chômage.

d Léonard veut travailler plus ▦   ▦ **4** il faut bien connaître le droit du travail.

e Simon voudrait un CDI ▦   ▦ **5** et la précarité de sa situation l'inquiète beaucoup.

f Pour se défendre, ▦   ▦ **6** et comme pour tous les chômeurs, la vie est difficile.

g On est passé de 39 h à 35 h ▦   ▦ **7** mais il ne décroche que des contrats à durée déterminée.

Les mots du social

4 Complétez l'article avec : _mal-logés, négociations, mesures sociales, régularisation, solidarité, dialogue social, expulsions, sans-papiers._

SOCIÉTÉ

C'est un grand sentiment de .... qui motive des milliers de personnes

à défiler pour aider les personnes en situation de précarité. Les manifestants souhaitent que le

gouvernement prenne des .... pour protéger les précaires. Face à

la crise du logement, les sans-logis ou les .... sont de plus en plus

nombreux. C'est pourquoi les manifestants demandent l'arrêt des ....

Ils pensent aussi aux immigrés .... qui ne peuvent pas vivre et travailler

dignement. C'est pourquoi la .... de leur situation est indispensable.

Enfin, les manifestants veulent ouvrir le .... et discuter avec le

gouvernement pour arriver à un accord sur l'amélioration des conditions de vie des précaires.

Mais le gouvernement refuse toujours les ....

113

Grammaire

Phrase simple / Phrase complexe
Indicatif / Subjonctif

5 **Transformez les phrases comme dans l'exemple.**

Elle demande que son salaire soit augmenté. → *Elle demande une augmentation de salaire.*

a Ils exigent que le temps de travail soit réduit.

....

b Il souhaite que la précarité soit supprimée.

....

c Nous demandons que le prix des loyers baisse.

....

d On exige que le droit du travail soit respecté.

....

e Ils souhaitent que les négociations soient ouvertes.

....

6 **Associez et complétez avec *que* ou *parce que* comme dans l'exemple.**

a Les sans-logis réclament
l'arrêt des expulsions

b Les salariés de cette
entreprise demandent

c Les sans-papiers vivent
dans la précarité

d Les manifestants
veulent

e Les pouvoirs publics proposent
des mesures sociales

f Les syndicats
exigent

g Les chômeurs
souhaitent

h Les femmes ont des
emplois précaires

1 .... les élections
approchent.

2 .... les entreprises fassent
des efforts pour recruter plus.

3 .... ils sont privés
de leurs droits.

4 .... on leur propose
des CDD à temps partiel.

5 .... leur directeur
prenne ses responsabilités.

6 .... le droit du travail
soit respecté.

7 .... le gouvernement
entende leurs revendications.

8 *parce qu'*ils ne veulent
plus vivre dehors.

Grammaire

Phrase simple / Phrase complexe

Indicatif / Subjonctif (2)

Phrase simple :
sujet + souhaiter / demander / proposer / réclamer /
exiger + article + **nom** :
Nous demandons la **régularisation** des sans-papiers.

Phrase complexe :
– sujet + souhaiter / demander / proposer / réclamer /
exiger + **que** + sujet + verbe **au subjonctif** :
Nous demandons **que** *la précarité* **soit** bannie.

– sujet + verbe + **parce que** + sujet + verbe à l'indicatif :
Nous marcherons sur Paris **parce que** *nous* refusons la
fatalité du chômage.

Communiquer

Pour revendiquer

7 Écrivez une revendication pour chaque personne.

a
Nous souhaitons que
....
....

b
Nous réclamons
....
....

c
Nous voulons que
....
....

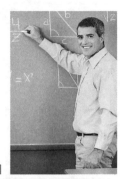
d
Nous exigeons que
....
....

e
Nous proposons
....
....

8 Vous vous déplacez très souvent à pied et vous êtes de plus en plus en colère contre les voitures, les bus et les vélos qui ne respectent pas les piétons. Vous organisez une manifestation dans votre ville pour alerter les pouvoirs publics : complétez librement le tract.

> **12 avril 2014**   Nous, ...
> ....
>
> Nous, **piétons**, souhaitons que ....
> Nous proposons que ....
> Nous réclamons que ....
> Nous exigeons que ....
> Nous défilerons à Paris parce que ....
> Rejoignez-nous ! .... @ ....
> À l'appel de ....

9 Quelques jours avant une manifestation, un(e) journaliste interroge un(e) étudiant(e) qui manifeste dans la rue. Imaginez la conversation.

Le/La journaliste : Allez-vous participer à la marche de la semaine prochaine ?

L'étudiant(e) : Oui, bien sûr, c'est important de défendre nos droits.

Le/La journaliste : Quel est l'objectif de cette marche ?

L'étudiant(e) : ...

Phonétique

Les sons [k] et [g]

10 Lisez les mots à voix haute et barrez l'intrus.

a précarité – écoute – force – revendication – crise

b gouvernement – mal-logé – régularisation – slogan

c généralité – gratuité – logement – génial

d citoyenneté – social – nécessaire – réclamation

11 Écoutez pour vérifier. 25

115

Leçon 31 | L'actu des régions

| Comprendre

Une interview

1 Écoutez l'interview. Répondez à la question et complétez le tableau. 🎧 **26**

a Quel est le sujet de l'interview ? ....

b Notez de quoi parle chaque personne et si leur opinion est positive ou négative.

Sujet	Opinion positive	Opinion négative
Personne 1 :	☐	☐
Personne 2 :	☐	☐
Personne 3 :	☐	☐
Personne 4 :	☐	☐
Personne 5 :	☐	☐
Personne 6 :	☐	☐

L'annonce d'un événement

2 Lisez le document. Complétez la fiche et répondez aux questions.

L'ART À L'ENDROIT
PARCOURS D'ART CONTEMPORAIN
◆ ◆ ◆

Le week-end des 12 et 13 janvier marque le départ de Marseille-Provence 2013, une année entière de culture, de fêtes et de découvertes artistiques. À Aix-en-Provence, la journée s'ouvre avec la proposition d'une promenade pour découvrir treize œuvres surprenantes de onze grands noms de l'art contemporain qui ont transformé une dizaine d'espaces dans la ville : les visiteurs pourront par exemple découvrir les arbres peints de l'artiste japonaise Yayoi Kusama, mais aussi habiter *Le Monument rouge* de Xavier Veilhan ouvert à tous.

12 JANVIER AU 17 FÉVRIER Aix-en-Provence

L'ART-A -L'ENDROIT

a 1 Nom de l'événement :
....

2 Lieu :
....

3 Dates :
....

4 Nombre d'artistes :
....

5 Nombre d'œuvres :
....

Pour...

→ **Organiser son discours (2)**

*On bénéficie **à la fois** du point de vue sur la ville qui est sublime, **et aussi** on a le point de vue sur le large.*

→ **Décrire, caractériser, situer**

***Sept kilomètres de** promenade **face à** la Méditerranée. C'est **une œuvre monumentale qui est constituée de** trois îlots **qui évoquent** l'architecture méditerranéenne. Le visiteur pourra marcher **sur de gigantesques blocs**. **L'accès se fait par** la mer, **en** navettes, **départ du** fort Saint-Jean, **à l'extrémité du** Vieux-Port.*

Les mots...

Des loisirs / Du tourisme

la promenade
marcher / se promener
la découverte, découvrir
se reposer
pique-niquer
discuter
un point de vue / un panorama
une navette gratuite ≠ payante

De la mer

la digue
le large
le port
la Méditerranée
un îlot
(une petite île)

b Cet événement est proposé à quelle occasion ? ....

c Où peut-on voir les œuvres ? ....

d Quelles œuvres sont évoquées ? Cochez.

1 ☐ 2 ☐ 3 ☐ 4 ☐

❚Vocabulaire

Les mots des loisirs et du tourisme

3 **Complétez les phrases avec :** *se reposer, marcher, se promener, pique-niquer, le point de vue, un panorama, discuter.* **Puis associez-les aux photos.**

a Ici, on peut .... Il faut beaucoup .... pour y arriver,

mais .... sur la nature est magnifique. → Photo ......

b C'est un endroit où on peut .... et avoir................................. sur toute la ville. → Photo ......

c J'aime bien .... dans ce parc avec ma famille. C'est tranquille, on peut ....

entre nous. → Photo ......

1 2 3

4 **Remplacez les mots soulignés par une expression équivalente (=) ou contraire (≠).**

a Le week-end, j'aime me promener à la campagne. = ...

b Pour aller sur l'île, il faut prendre une navette payante. ≠ ....

c Nous partons à la découverte de la ville. = ...

d On se retrouve souvent dans un café pour parler entre nous. = ...

e Ici, le point de vue est magnifique = ...

Les mots de la mer

5 **Regardez la photo et écrivez les légendes.**

a ....

b ....

c ....

d ....

Grammaire

La phrase complexe avec proposition infinitive

6 Mettez les mots dans l'ordre pour former des phrases. Ajoutez les majuscules et la ponctuation.

a venir – ce – on – dans – pique-niquer – parc – aime → ....

b sur – aller – vous – la – discuter – digue – pouvez → ....

c partir – la – découvrir – ils – ville – préfèrent → ....

d Marseille – je – aller – voudrais – visiter → ....

e avec – tu – marcher – venir – moi – peux → ....

Les prépositions

7 Entourez la préposition de lieu correcte.

a Il habite à côté *du / au* port.

b Asseyez-vous à droite *à / de* l'entrée.

c J'aime me reposer au bord *de / à* l'eau.

d La digue est face *à / de* la Méditerranée.

e Il y a une deuxième entrée à l'extrémité *du / au* parc.

8 Complétez avec une préposition de manière.

a En général, je vais travailler .... pied ou .... vélo.

b Le voyage sur l'île se fait .... la mer, ... navette payante.

c Le week-end, nous allons à la campagne .... voiture ou .... train.

d On y va .... métro ou .... taxi, ce sera plus rapide.

9 Ajoutez une préposition verbale quand c'est nécessaire. N'oubliez pas : *à + le = au* et *de + le = du*.

a Hier soir, nous sommes allés .... le restaurant avec des amis.

b Il parlera .... le directeur du musée demain.

c J'ai vu .... l'exposition que tu m'as conseillée.

d Elle a détesté .... le livre que je lui ai prêté.

e Le musée est ouvert .... le public depuis un an.

f De cet endroit, on peut profiter .... le panorama.

g J'aime écouter .... le bruit de la mer.

h D'ici, on bénéfice .... le point de vue sur la nature.

Grammaire

Les prépositions

De lieu :
– avec *de* : <u>à l'extrémité</u> **du** port (à l'extrémité **de**) ;
– avec *à* : <u>face</u> **à** la Méditerranée ;
– simples : **sur** la ville.

De manière :
– *en* : *en* navettes ;
– *à* : *à vélo* ;
– *par* : **par** la mer.

Les prépositions verbales :
– *de* : on <u>bénéficie</u> **du** point de vue (bénéficier **de**) ;
– *à* : la digue <u>ouvre</u> **au** public (ouvrir **à**).

❶ Beaucoup de verbes sont construits sans préposition : *Cette œuvre évoque les toits* (évoquer).

La phrase complexe avec proposition infinitive

On peut + venir + verbe infinitif : On peut venir lire.

texto

│ Communiquer

Pour organiser son discours

10 Vous venez d'arriver dans votre logement de vacances. Écrivez un SMS à un ami pour décrire le point de vue.

a ....

b ....

Pour décrire, caractériser, situer

11 À l'aide de la photo et de la fiche, écrivez un article pour présenter l'œuvre *Les Deux Plateaux* de Daniel Buren.

Nom de l'œuvre : Les Deux Plateaux

Artiste : Daniel Buren

Lieu : le Palais-Royal à Paris

Date : 1986

Nature de l'œuvre : 260 colonnes en marbre noir et blanc dans une cour de 3 000 m²

Accès : place Colette

│ Phonétique

Les sons [t] et [d]

12 Écoutez. Entendez-vous [t] (comme dans *repor<u>t</u>age*) ou [d] (comme dans *<u>d</u>écouvrir*) ?

	a	b	c	d	e	f
[t] comme dans *repor<u>t</u>age*	☐	☐	☐	☐	☐	☐
[d] comme dans *<u>d</u>écouvrir*	☐	☐	☐	☐	☐	☐

13 Écoutez et complétez avec *t* quand vous entendez [t] (comme dans *repor<u>t</u>age*) et *d* quand vous entendez [d] (comme dans *<u>d</u>écouvrir*).

a L'his....oire ....e la semaine, c'est la réouver....ure ....e la ....igue ....u large sur le port au....onome.

b Les ....ouris....es ....rouveront sep.... kilomè....res ....e promena....e en face ....e la Mé....i....erranée.

c Cette sculp....ure-archi....ec....ure est une œuvre monumen....ale cons....i....uée ....e ....rois îlots.

d Le visi....eur pourra marcher sur ....e gigan....esques blocs en bé....on.

e À l'ex....rémi....é ....u port, vous vien....rez peut-ê....re ....iscu....er en....re amis.

14 Écoutez encore une fois les phrases et répétez.

1 Margot et Alex visitent le musée d'Art contemporain de Bordeaux. Écoutez la conversation. 🎧 29 Choisissez les réponses correctes et répondez aux questions.

a Margot et Alex :

☐ **1** ont les mêmes goûts.

☐ **2** ont des avis différents.

☐ **3** adorent les œuvres du musée.

b Que pense Alex du tableau ?

....

c Justine :

☐ **1** travaille au ministère de la Culture.

☐ **2** fait des études d'histoire de l'art.

☐ **3** a un petit travail dans un musée.

d Pourquoi Justine est-elle inquiète ?

....

e Margot propose à Justine :

☐ **1** de manifester pour la culture.

☐ **2** de déjeuner ensemble.

☐ **3** de continuer la visite du musée.

2 Vrai ou faux ? Lisez l'article et cochez les bonnes réponses.

BORDEAUX

Mon compte | Aller au contenu | Accessibilité | Plan du site

🌱 Quartiers
◇ Plans

🔍

Bordeaux et vous ⌄   Pratique ⌄   Découvrir et sortir ⌄   Entreprendre ⌄   Bordeaux politiques ⌄

→ Que faire à Bordeaux ce week-end ?

Drôles de têtes

Ce week-end, promenez-vous à Bordeaux et découvrez la merveilleuse exposition de l'artiste catalan Jaume Plensa. L'œuvre monumentale du célèbre sculpteur se compose de treize têtes installées dans des lieux importants du patrimoine architectural de la ville. Place de la Comédie, c'est le sourire de Paula qui vous attend, une incroyable tête en fer de 7 mètres de haut, sculptée tout en légèreté. Tous les lieux choisis sont des lieux de vie, comme le jardin public où les gens se promènent, où les enfants jouent au football, où les familles pique-niquent. Là, vous attendent sept hommes assis sur l'herbe se mêlant avec poésie au paysage. Chaque sculpture se trouve au pied d'un arbre qu'elle entoure de ses bras en fer et sur lesquels sont écrits des noms d'artistes. Ces géants ne disent rien mais observent les habitants de la ville, comme des spectateurs silencieux de l'activité urbaine.

	V	F
a L'artiste Jaume Plensa a installé ses œuvres dans des monuments.	☐	☐
b L'exposition est composée de sculptures gigantesques.	☐	☐
c L'artiste a choisi des lieux vivants pour exposer ses œuvres.	☐	☐
d Les sculptures ne vont pas avec le paysage.	☐	☐
e Dans le jardin public, l'artiste a sculpté des arbres en fer.	☐	☐

texto

3 Margot, Alex, Justine et Ludo pique-niquent dans le parc. Ils découvrent les sculptures et donnent leur avis. Imaginez leur conversation en vous aidant des indications.

> Justine adore les statues.

> Alex les aime bien.

> Margot ne les aime pas beaucoup.

> Ludovic les déteste.

4 Alex interroge Justine pour connaître les revendications des étudiants en histoire de l'art. Écoutez la conversation et répondez aux questions.

a Quels sont les problèmes évoqués par Justine ?

....

....

b Quelles sont les revendications des étudiants en histoire de l'art ?

....

c Pourquoi vont-ils manifester ?

....

5 Les 4 amis se sont promenés dans la ville pour découvrir les autres œuvres de Jaume Plensa. Le soir, Alex parle de sa visite sur son blog. Il raconte ce qu'il a vu et donne son avis. Imaginez ce qu'il écrit.

6 Justine et Margot rédigent le tract de la marche des étudiants en histoire de l'art. Complétez-le.

Samedi 23 mars

Venez nous soutenir et manifester avec nous !
Départ 14 h de la place de la République.

Nous, étudiants en histoire de l'art, organisons cette ....

parce que nous ....

Nous demandons que le ministère de la Culture ....

et ....

Nous réclamons que le gouvernement .... parce que

nous ne voulons plus ....

Nous voulons pouvoir ....

Il faut donc qu'on nous ....

Mobilisez-vous avec nous ! Rejoignez-nous.

À l'appel de l'UNEF* [* Syndicat National des Étudiants de France)

Faits et gestes

1 Répondez en associant chaque phrase à un geste.

a
J'ai gagné au loto !
■

b
Comment tu trouves ces financiers ?
■

c
Prends encore de la mousse au chocolat.
■

d
Il y a encore plein d'exercices pour demain.
■

■ **1**

■ **2**

■ **3**

■ **4**

2 Que disent-ils ? Associez.

a

b

c

d

e

f

g

1 Premièrement, c'est pas de l'art, deuxièmement, c'est moche ! → Photo ......

2 Comme-ci comme ça. → Photo ......

3 Bien sûr. → Photo ......

4 Je suis fatiguée de ce boulot de vendeuse ! → Photo ......

5 Tais-toi ! → Photo ......

6 Sors ! → Photo ......

7 Excellent ! → Photo ......

3 Comment sont-ils ? Observez les photos de l'activité 2 et choisissez un mot dans la liste pour caractériser chaque personnage.

charmant(e) doux / douce amusant(e) sérieux / sérieuse poli(e) triste généreux / généreuse

autoritaire passionné(e) stressé(e) drôle calme sage amoureux / amoureuse

Culture

4 Complétez cet extrait du site de Saint-Étienne.

Saint de Étienne

MAIRIE | DESIGN | CULTURE | SPORTS | JEUNESSE | ENFANCE | ÉCONOMIE ET EMPLOI | CADRE DE VIE | SOLIDARITÉ | VIE ASSOCIATIVE

Rechercher

M'inscrire
M'identifier

MA VILLE PRATIQUE

Parlons ville
Une info ?
Une demande ?
Un problème ?
Saint-Étienne Bonjour
04 77 48 77 48

Infos travaux
→ Restez informé(e) !

ANNUAIRE
PLANS & COORDONNÉES

Actualités

Saint-Étienne se trouve dans le département de la ....
C'est la .... ville de France. Ses habitants s'appellent des
.... C'est à Saint-Étienne qu'est née la première société
française de .... par correspondance. Saint-Étienne est aussi
connue pour son passé industriel, ses .... et son équipe de
foot. Elle a toujours été une ville de création et d'....................................... .
Le .... est aujourd'hui très présent à Saint-Étienne,
il fait partie de la vie quotidienne. En 2010, l'UNESCO a classé Saint-Étienne
.... Ses .... habitants
sont très contents de cette distinction.

5 Quels objets sont en relation avec Saint-Étienne ? Cochez.

a ☐

b ☐

c ☐

d ☐

e ☐

f ☐

6 Vrai ou faux ? Cochez la bonne réponse.

	V	F
a Marseille est la troisième ville de France.	☐	☐
b La ville a été fondée en 600 av. J.-C.	☐	☐
c Marseille est au bord de l'océan Atlantique.	☐	☐
d La ville dispose d'un nouveau musée.	☐	☐
e Marseille a une identité méditerranéenne.	☐	☐

Portfolio

Les descripteurs du **Cadre européen commun de référence pour les langues** permettent d'expliquer les compétences de communication attendues à chaque niveau.

Après les 8 dossiers de Texto 2, vous pouvez vous auto-évaluer.
Lisez les compétences du CECRL et choisissez votre niveau.

LIRE

	Un peu	Assez bien	Bien
Je peux comprendre des textes et identifier l'information pertinente dans les écrits simples rencontrés, tels que des rubriques de magazines, des annonces immobilières, des courriels, des brochures, des pages de sites, des publicités, des bandes dessinées et des tracts.	▪	▪	▪
Je peux reconnaître les principaux types de courriels simples (demandes d'information, confirmations, etc.) sur des sujets familiers.	▪	▪	▪
Je peux suivre des indications brèves et simples et m'orienter sur un plan pour me rendre à un endroit précis.	▪	▪	▪
Je peux reconnaître les mots ou les expressions les plus courants dans les situations de la vie quotidienne, par exemple sur un site Internet, sur une annonce, sur un formulaire...	▪	▪	▪

ÉCOUTER

	Un peu	Assez bien	Bien
Je peux comprendre des conversations simples sur des sujets spécifiques comme le bénévolat, le travail, la parité homme / femme, l'art...	▪	▪	▪
Je peux comprendre la géographie d'un lieu et des instructions simples pour se rendre à un endroit précis à pied ou en transports en commun.	▪	▪	▪
Je peux comprendre un message personnel indiquant des sentiments, des hypothèses sur un événement passé ou à venir.	▪	▪	▪
Je peux comprendre l'essentiel d'une chronique radiophonique, une interview, une publicité...	▪	▪	▪
Je peux comprendre des instructions simples pour réaliser une tâche de la vie quotidienne, comme acheter un appareil électroménager.	▪	▪	▪
Je peux comprendre des informations sur les goûts et les activités de loisirs.	▪	▪	▪
Je peux comprendre des informations pratiques sur un programme culturel ou la recherche d'un emploi.	▪	▪	▪

ÉCRIRE

ÉCRIRE	Un peu	Assez bien	Bien
Je peux écrire des textes informatifs simples et courts sur des sujets courants comme la santé, le bénévolat, le spectacle, l'écologie...	☐	☐	☐
Je peux écrire sur les aspects quotidiens de mon environnement, par exemple le logement, la ville, le travail, les études.	☐	☐	☐
Je peux écrire un message à des amis et donner des informations pratiques sur, par exemple, un itinéraire ou la recherche d'un emploi.	☐	☐	☐
Je peux écrire une annonce immobilière.	☐	☐	☐
Je peux écrire une publicité.	☐	☐	☐
Je peux remplir un formulaire de voyage, un questionnaire.	☐	☐	☐
Je peux écrire un texte simple sur mes conditions de vie, ma formation, mon travail actuel et passé.	☐	☐	☐
Je peux faire une description simple d'expériences personnelles, d'événements et d'activités passées ou à venir.	☐	☐	☐
Je peux exprimer des goûts et des sentiments.	☐	☐	☐

PARLER

PARLER	Un peu	Assez bien	Bien
Je peux demander ou donner des informations simples sur ma situation actuelle et mes projets d'avenir (études, travail, voyages, loisirs...).	☐	☐	☐
Je peux demander ou donner des informations simples sur un logement, un lieu, un appareil électroménager...	☐	☐	☐
Je peux raconter un événement passé comme, par exemple, un spectacle.	☐	☐	☐
Je peux donner mon opinion sur des sujets tels que l'écologie, la parité homme / femme, l'art.	☐	☐	☐
Je peux parler de mes goûts et de mes loisirs.	☐	☐	☐
Je peux poser des questions simples sur des sujets familiers et répondre dans une situation simple de la conversation courante.	☐	☐	☐
Je peux poser des questions, répondre à des questions et échanger des idées et des renseignements sur des sujets familiers relatifs au travail et aux loisirs.	☐	☐	☐
Je peux obtenir des renseignements simples sur un déplacement, demander et expliquer un chemin à suivre, ainsi qu'acheter un billet d'avion.	☐	☐	☐
Je peux poser des questions et effectuer des transactions simples dans un magasin. Je peux faire un achat simple en indiquant ce que je veux et en demandant le prix.	☐	☐	☐
Je peux conseiller, réagir à des propositions, dire ce que je pense.	☐	☐	☐

I. COMPRÉHENSION DE L'ORAL   25 points

Vous allez entendre 4 enregistrements correspondant à 4 documents différents.
Pour chaque document, vous aurez :
– 30 secondes pour lire les questions ;
– une première écoute puis 30 secondes de pause pour commencer à répondre aux questions ;
– une seconde écoute puis 30 secondes de pause pour compléter vos réponses.

Exercice 1   5 points

Écoutez l'annonce. Répondez aux questions et choisissez les réponses correctes.

1 Pourquoi est-ce un jour exceptionnel dans le magasin Béranger ?   *1 point*

....

2 La carte de fidélité du magasin permet d'avoir une réduction de :   *1 point*

☐ **a** 5 %.

☐ **b** 15 %.

☐ **c** 20 %.

3 La carte de fidélité donne des réductions sur :   *1 point*

a ☐

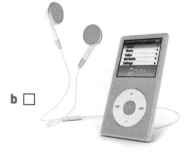

b ☐

c ☐

4 Quel est le prix avec réduction de l'ordinateur Asus S500 ?   *1 point*

....

5 Comment peut-on obtenir la carte de fidélité ?   *1 point*

....

Exercice 2   6 points

Écoutez le message de M. Polin. Choisissez les réponses correctes et répondez aux questions. 🎧 32

1 M. Polin appelle pour quel type d'appartement ?   *1 point*

☐ **a** Un studio.

☐ **b** Un deux pièces.

☐ **c** Un quatre pièces.

texto

2 L'appartement est à quel étage ?   *1 point*

....

3 Combien de salles de bains y a-t-il ?   *1 point*

....

4 D'après M. Polin, comment est le salon ? (Donnez deux réponses.)   *1 point*

....

5 Quel est le numéro de téléphone de M. Polin ?   *2 points*

06 ....

Exercice 3   **6 points**

Écoutez cette information à la radio. Répondez aux questions et choisissez 🎧33 **les réponses correctes.**

1 Pourquoi la Cité des sciences est-elle très appréciée des familles ?   *1 point*

....

2 Quelle est la durée d'un atelier découverte ?   *1 point*

☐ **a** Une demi-heure.

☐ **b** Une heure.

☐ **c** Une heure trente.

3 Donnez deux ateliers pour les enfants de 2 à 7 ans.   *2 points*

....

4 Quel type de techniques modernes les enfants de 5 à 12 ans peuvent-ils découvrir ? *1 point*

....

5 Pourquoi est-il conseillé de venir ce week-end à la Cité des sciences ?   *1 point*

....

Exercice 4   **8 points**

Vous allez entendre deux fois 4 dialogues correspondant à 4 situations différentes. 🎧34
Lisez les situations. Écoutez puis associez chaque dialogue à la situation correspondante.

Dialogue **1** ▪   ▪ **a** Donner un conseil.

Dialogue **2** ▪   ▪ **b** Indiquer un itinéraire.

Dialogue **3** ▪   ▪ **c** Raconter un changement de vie.

Dialogue **4** ▪   ▪ **d** Exprimer des souhaits.

127

II. COMPRÉHENSION DES ÉCRITS

25 points

Exercice 1 – Lire pour s'orienter (dans le texte)

5 points

Vous vivez en France, à Tours. Des amis vous demandent de faire une recherche d'appartement car ils viennent faire leurs études à l'université de Tours. Vous avez relevé 5 annonces.

Annonce 1

Beau 4 pièces dans immeuble ancien dans le Vieux-Tours. Très animé en soirée. L'appartement comporte une entrée, 3 chambres, une salle de bains avec baignoire et douche, une cuisine aménagée. À 15 minutes à pied du tramway. 900 €.

Annonce 2

À un quart d'heure du centre de Tours, **très beau studio** rénové, environ 30 m², salle de douche avec WC. Lieu calme et jardin à proximité. Loyer 400 €.

Annonce 4

3 pièces à louer, centre de Tours, tout près d'un centre commercial et d'une station de tramway. 55 m² dans immeuble récent. 2 chambres doubles, salon, cuisine, 1 salle de bains douche, WC à part. Loyer 570 € libre dès octobre.

Annonce 3

Dans immeuble ancien, **beau studio** refait, tout confort et entièrement meublé. En plein cœur de la vie tourangelle avec ses restaurants gastronomiques et ses cafés-bars très fréquentés des étudiants. Fac à deux minutes de la place Plumereau où se trouve le studio. 450 € / mois.

Annonce 5

Dans quartier très calme au centre de Tours, loue en excellent état un **2 pièces** au 5e et dernier étage d'un immeuble récent : 1 chambre avec rangements, salle de bains, WC, salon : belle pièce à vivre donnant sur un grand balcon, vue sur la Loire. 700 € / mois.

Associez chaque annonce aux préférences de chacun de vos amis.

		Annonce
a	Paul veut une station de tramway à moins d'un quart d'heure à pied de l'appartement. Les WC doivent être séparés de la salle de bains.	....
b	Julie veut un grand appartement (3 ou 4 pièces) à partager. Il doit y avoir une salle de bains avec baignoire et une cuisine équipée.	....
c	Jonathan aimerait louer seul un petit appartement près de Tours pour être au calme et avoir un jardin près de chez lui.	....
d	Magalie veut louer un 2 pièces en centre-ville mais dans un quartier calme. Elle aimerait un balcon et des espaces de rangements dans la chambre.	....
e	Marco aimerait un studio meublé dans le Vieux-Tours pour y trouver de l'animation. Il voudrait aller à l'université à pied. L'appartement doit être ancien mais confortable.	....

Exercice 2 – Lire une correspondance

6 points

Lisez cet e-mail. Choisissez les réponses correctes et répondez aux questions.

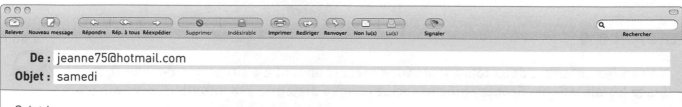

De : jeanne75@hotmail.com
Objet : samedi

Salut !
Samedi, j'irai à la réunion sur la nouvelle association de quartier. Tu vas y aller, toi aussi ? Je pense que je vais m'inscrire. J'ai bien réfléchi, je partirai de mon bureau une heure plus tôt les mercredis. Comme ça, j'arriverai à 17 h pour aider les enfants de Paul à faire leurs devoirs. Ils viendront à la maison après l'école et Paul viendra les chercher après son travail, vers 19 h 30. Bon allez, à plus tard !

1 Que fera Jeanne samedi ? *1 point*

☐ **a** Elle ira à son travail. ☐ **b** Elle participera à une réunion. ☐ **c** Elle s'inscrira à des cours du soir.

2 Comment Jeanne s'organisera-t-elle avec son travail tous les mercredis ? *1 point*

....

3 Que fera Jeanne à partir de 17 h tous les mercredis ? *1 point*

....

4 Où les enfants de Paul iront-ils le mercredi en fin de journée ? *1 point*

☐ **a** À l'école. ☐ **b** Chez Jeanne. ☐ **c** Dans une association.

5 Que fera Paul vers 19 h 30 le mercredi ? *2 points*

....

Exercice 3 – Lire des instructions **6 points**

Lisez cet extrait d'un petit guide des économies d'énergie. Répondez aux questions et choisissez les réponses correctes.

Voici des **gestes simples** qui permettent de mieux **consommer** sans perdre en **confort**.

N'oublions pas que chacun de nos gestes quotidiens a une influence sur la santé de notre planète. On peut faire des économies dans chaque pièce de la maison. Préférez la douche au bain, c'est plus rapide et on gaspille moins d'eau. Quand vous vous brossez les dents, utilisez un verre d'eau pour ne pas laisser couler l'eau. Adaptez la température à chaque pièce de votre maison : 16 °C pour la chambre, 21 °C dans la salle de bains et 19 °C dans les autres pièces. Avant de partir, baissez la température de tous vos radiateurs et à votre retour, aérez pendant 10 minutes, pas plus, ça suffit pour renouveler l'air.

1 Qu'explique cet extrait du guide des économies d'énergie ? *1,5 point*

....

2 D'après cet extrait, pourquoi est-il préférable de prendre une douche ? (Donnez deux réponses.) *1 point*

....

3 Qu'est-il conseillé de faire quand on se brosse les dents ? *1 point*

....

4 Quelle température est recommandée dans les pièces suivantes ? *1,5 point*

a ☐ 16 °C ☐ 19 °C ☐ 21 °C

b ☐ 16 °C ☐ 19 °C ☐ 21 °C

c ☐ 16 °C ☐ 19 °C ☐ 21 °C

5 Qu'est-ce qu'il est conseillé de faire... *1 point*

a quand on part de chez soi ? ....

b quand on rentre à la maison ? ....

Exercice 4 – Lire pour s'informer

8 points

Lisez cet article sur Internet. Répondez aux questions et choisissez les réponses correctes.

Aujourd'hui la Turquie

POLITIQUE ÉCONOMIE INTERNATIONAL **CULTURE** SOCIÉTÉ DÉCOUVERTE CHRONIQUES WEB-TV AUTEURS

Après Marseille (France) et Košice (Slovaquie), c'est au tour de Riga (Lettonie) et Umeå (Suède) d'être les capitales européennes de la culture tout au long de l'année 2014. Commencé en 1985 par l'Union européenne, le projet de capitale européenne de la culture a pour objectif d'illustrer la richesse et la diversité des cultures européennes. Les villes sont choisies selon un programme spécialement créé pour l'occasion. Elles doivent proposer un programme original afin d'obtenir le titre de capitale européenne de la culture et avoir la chance de se lancer dans l'aventure. L'élection d'une capitale européenne permet à la ville de se développer par la culture, les infrastructures ou les projets créés lors de ces célébrations et ces projets resteront. C'est tout ce que nous souhaitons à ces deux villes européennes, peu connues du grand public, et qui nous promettent de belles surprises tout au long de cette année.

1 De quel projet parle cet article ?

2 points

....

2 Quel est l'objectif principal du projet ?

2 points

....

3 À partir de quel document les villes ont-elles été sélectionnées ?

1 point

☐ **a** Un album photos.

☐ **b** Un dépliant touristique.

☐ **c** Un programme culturel.

4 Vrai ou faux ? Cochez la bonne réponse et recopiez la phrase du texte qui justifie votre réponse.

3 points

	V	F
a Pour être sélectionnée, une ville doit faire preuve d'originalité.	☐	☐

Justification : ....

....

	V	F
b Tout ce qui sera créé pour l'occasion sera détruit à la fin de l'événement.	☐	☐

Justification : ....

....

III. PRODUCTION ÉCRITE

25 points

Exercice 1

13 points

Vous revenez de vacances. Écrivez à votre ami(e) français(e) pour lui raconter vos vacances. Expliquez-lui où vous étiez, ce que vous avez vu et ce que vous avez fait. Dites-lui ce que vous avez aimé et détesté pendant vos vacances. (60 mots minimum)

texto

Exercice 2

12 points

Vous avez reçu cet e-mail de Nico, votre ami français. Répondez-lui : acceptez sa proposition. Vous lui expliquez votre intérêt d'y participer. Vous lui donnez une heure et un lieu de rendez-vous pour aller ensemble à la manifestation. (60 mots minimum)

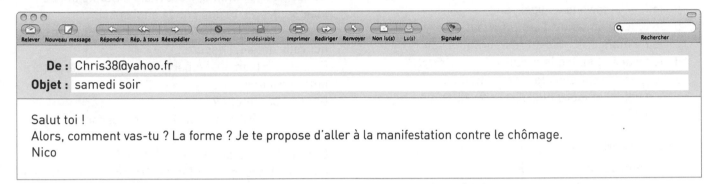

De : Chris38@yahoo.fr
Objet : samedi soir

Salut toi !
Alors, comment vas-tu ? La forme ? Je te propose d'aller à la manifestation contre le chômage.
Nico

IV. PRODUCTION ORALE

25 points

Exercice 1 – Entretien dirigé

L'examinateur vous pose des questions : présentez-vous (parlez de vous, de votre famille, de vos amis, de vos études, de vos goûts, etc.) pendant 1 minute 30 environ.

Exercice 2 – Monologue suivi

Choisissez un sujet sur les deux proposés.
Exprimez-vous seul(e) sur le sujet pendant 2 minutes environ.

> **Sujet 1 :** Avez-vous un ordinateur ? Utilisez-vous un ordinateur ? Pour quelles raisons ?
> --
> **Sujet 2 :** Racontez une journée culturelle que vous avez faite. Vous décrivez ce que vous avez vu, visité et ce que vous avez pensez de cette journée.

Exercice 3 – Exercice en interaction

Choisissez un sujet sur les deux proposés.
Vous devez simuler un dialogue avec l'examinateur afin de résoudre une situation de la vie quotidienne. Montrez que vous êtes capable de saluer et d'utiliser des règles de politesse.

> **Sujet 1 :** Votre ami français passe le week-end chez vous. Il ne connaît pas votre ville.
> Vous lui proposez des activités que vous pouvez faire ensemble.
> Vous vous mettez d'accord sur un programme pour le week-end.
> --
> **Sujet 2 :** Vous souhaitez partir en vacances avec votre ami français. Vous lui proposez de partir 15 jours dans un pays que vous aimeriez visiter. Vous vous mettez d'accord sur le pays, les dates, le voyage et le logement. Vous parlez aussi des choses que vous pourriez faire pendant vos vacances.

Transcriptions

DOSSIER 1 | S'engager

Leçon 1 ■ Bien sûr...

Piste n° 02, activité 2, page 5

a Je fais de la voile le week-end.
b Je jouerai au tennis l'été prochain.
c Je ne mangerai plus au restaurant le soir.
d Je ferai du jogging le matin.
e Je joue au foot deux fois par semaine.
f À partir d'aujourd'hui, j'irai travailler une heure plus tôt.

Piste n° 03, activités 12 et 13, page 7

a Il prend des décisions sérieuses.
b Il imagine des solutions à son problème.
c Elle fera du surf mais elle fera aussi du fitness.
d Nous nous inscrirons dans un club de sport.
e Elles ont une association pour aider les enfants à faire leurs devoirs.

Leçon 2 ■ Votre santé

Piste n° 04, activité 2, page 8

Vous avez toujours plus de travail ? Vous mangez mal ? Vous ne pouvez pas dormir ? Alors vous faites partie des personnes stressées ! Pour votre santé, il faut pratiquer un sport. Tous les sports sont bons : le tennis, le yoga... Promenez-vous en forêt : c'est idéal pour retrouver le contact avec la nature. Mangez toujours dans le calme et évitez de fumer. Le soir, vous pouvez écouter de la musique douce : vous dormirez comme un bébé ! Et n'oubliez pas vos amis : amusez-vous avec eux !

Leçon 3 ■ S'investir

Piste n° 05, activité 1, page 12

RENÉE : Allô.
SONIA : Bonjour Renée, je ne te dérange pas ?
RENÉE : Non, pas du tout, Sonia.
SONIA : Je t'appelle parce que je voudrais faire du bénévolat aux Restos du Cœur, comme toi. Ce matin, j'ai vu dans le métro une jeune femme demander de l'argent pour pouvoir manger. C'est terrible ! Je voudrais donner un peu de temps aux autres.
RENÉE : Si tu es libre, viens avec moi jeudi soir. On distribue des repas.
SONIA : D'accord. On se retrouve où ?
RENÉE : Chez moi, à 18 heures 30. Ça te va ?
SONIA : Super ! À jeudi. Je t'embrasse.

Bilan

Piste n° 07, activité 1, page 16

FAHIMA : Allô !
BLAISE : Salut Fahima, c'est Blaise. Bonne année !
FAHIMA : Merci, bonne année à toi aussi.
BLAISE : Tu as pris de bonnes résolutions pour cette nouvelle année, j'espère !
FAHIMA : Eh bien oui ! À partir de cette année, je serai plus citoyenne.
BLAISE : Comment ?
FAHIMA : Je m'investirai dans une association pour aider les autres.
BLAISE : Et dans quelle association ?
FAHIMA : L'association Petits Princes. Elle s'occupe des enfants malades dans les hôpitaux.
BLAISE : Et pourquoi tu as pris cette décision ?
FAHIMA : Parce que se sentir utile, c'est important. Je veux m'engager et avoir un rôle social.
BLAISE : Je comprends. Moi, cette année, je ferai attention à ma santé. Je me sens fatigué et je me trouve un peu gros.
FAHIMA : Inscris-toi dans un club de gym.
BLAISE : Oui, je ferai aussi du jogging.
FAHIMA : Tu feras un régime ?
BLAISE : Non, mais je mangerai équilibré. Plus de fruits et légumes...
FAHIMA : Et pas trop d'alcool !
BLAISE : C'est ça !

Piste n° 08, activité 4, page 17

BLAISE : Allô bonjour ! C'est bien le club Forme + ?
VANESSA : Oui, ici Vanessa. Je peux vous renseigner ?
BLAISE : Je voudrais m'inscrire dans votre club.
VANESSA : Quel est votre objectif ?
Blaise : Je voudrais perdre du poids. Je suis un peu trop gros.
VANESSA : Vous savez que, pour maigrir, faire du sport n'est pas suffisant. Vous devez aussi manger équilibré.
BLAISE : Oui, je sais, bien sûr.
VANESSA : Quand vous viendrez, vous pourrez parler avec un professeur. La première séance est gratuite.
BLAISE : Oui, j'ai vu ça sur votre publicité.
VANESSA : Je peux vous demander pourquoi vous avez choisi notre club ?
BLAISE : Parce qu'il est à côté de chez moi.
VANESSA : Merci, à bientôt.
BLAISE : Au revoir.

DOSSIER 2 Voyager

Leçon 5 ■ Sympa ce site !

Piste n° 09, activité 1, page 18

KATIA : Ça va Laura ? Qu'est-ce que tu fais ce week-end ?

LAURA : Je ne sais pas... Je n'ai pas beaucoup d'amis à Nice. Je suis de Rennes. Tous mes copains sont en Bretagne.

KATIA : Moi je viens de Paris, alors... Tu connais ce site ?

LAURA : Tu sais, je ne passe pas beaucoup de temps sur mon ordinateur. Ma connexion Internet n'est pas bonne chez moi. Je regarde seulement mes e-mails.

KATIA : Ah bon ? Moi, j'adore surfer sur Internet. J'ai trouvé un nouveau réseau social pour rencontrer des étudiants de notre âge à Nice.

LAURA : C'est vrai ? Ce n'est pas très facile de connaître des jeunes ! Qu'est-ce qu'il faut faire pour s'inscrire ?

KATIA : Regarde. Tu vas sur la page d'accueil et tu cliques ici.

LAURA : Et après ?

KATIA : Tu réponds à toutes les questions et tu valides. Tu reviens sur la page d'accueil, tu cliques sur Nice et tu peux discuter avec des étudiants d'ici.

LAURA : Super ! On s'inscrit ?

Piste n° 10, activité 2, page 18

– Allô.

– Oui, bonjour. Je peux vous aider ?

– Oui, je vous appelle parce que ma connexion Internet ne marche plus depuis trois jours !

– Vous pouvez me donnez votre nom, s'il vous plaît ?

– Je suis monsieur Lefèvre.

– Et le numéro de votre ligne ?

– C'est le 09 36 98 74 85.

– Un instant, je dois me connecter sur un autre ordinateur pour regarder où est le problème. Je fais une recherche et je vous rappelle.

– Merci.

Piste n° 11, activité 3, page 19

a

ENQUÊTEUR : Pardon monsieur, je peux vous poser quelques questions ?

HOMME : Oui, bien sûr.

ENQUÊTEUR : Vous écoutez de la musique sur votre téléphone ?

HOMME : Oui, très souvent. Quand je suis dans le métro, par exemple.

ENQUÊTEUR : Et vous prenez des photos ?

HOMME : Parfois, mais pas souvent.

ENQUÊTEUR : Et vous filmez ?

HOMME : Parfois, oui.

ENQUÊTEUR : Vous avez Internet ?

HOMME : Oui.

ENQUÊTEUR : Vous surfez souvent sur Internet avec votre téléphone ?

HOMME : Non, parfois seulement. Pour ça, je préfère être à la maison sur mon ordinateur.

ENQUÊTEUR : Merci. Vous avez quel âge ?

HOMME : J'ai 28 ans.

b

ENQUÊTEUR : Pardon madame, vous voulez bien répondre à quelques questions ?

FEMME : D'accord.

ENQUÊTEUR : Est-ce que vous écoutez de la musique sur votre téléphone ?

FEMME : Non, jamais.

ENQUÊTEUR : Et vous prenez des photos ?

FEMME : Parfois, mais pas souvent.

ENQUÊTEUR : Et vous filmez ?

FEMME : Non, jamais.

ENQUÊTEUR : Vous avez Internet ?

FEMME : Non. J'ai Internet au travail et à la maison. C'est assez.

ENQUÊTEUR : Merci beaucoup. Je peux vous demander votre âge ?

FEMME : J'ai 52 ans.

Piste n° 12, activité 11, page 21

a Gilles – b Jules – c mur – d mire – e but

Piste n° 13, activités 12 et 13, page 21

a Lucie est sur Internet ?

b Gilles a un ordinateur rapide.

c Jules a validé son inscription sur le site.

d Il utilise une messagerie.

e Zut ! Je ne vais jamais finir !

f Nicolas a son anniversaire à Nice.

Leçon 6 ■ À louer

Piste n° 14, activité 1, page 22

– Tu veux louer ton appartement pour les vacances ?

– Ben oui ! Je pars un mois au Mexique. Je trouve que c'est une bonne idée de louer mon appartement : comme ça, je peux gagner un peu d'argent.

– C'est vrai. Tu le loues combien ?

– 500 euros la semaine.

– Mais c'est super cher !

– Il est à deux pas de la mer et il y a tout le confort : une cuisine équipée, une salle de bains – et pas une salle d'eau – et la climatisation. Il y a même une grande terrasse de 20 mètres carrés avec une belle vue sur la mer.

– Il y a combien de chambres ?

– Une. Mais dans le séjour, qui est très grand, il y a un canapé-lit. Il est assez grand pour une famille.

– Oui, mais pas une famille nombreuse !

– Et il y a même un parking !

– Mouais...

Leçon 7 ■ Le plus cher !

▶ Piste n° 17, activité 2, page 26

Bonjour madame, je suis Philippe Ducas, de l'agence immobilière Immax. Je vous propose de visiter un appartement cet après-midi. Quand vous êtes sur la Promenade des Anglais, vous prenez l'avenue de Verdun et vous allez tout droit jusqu'à la place Masséna. Vous tournez à gauche, avenue Jean-Médecin. Vous traversez la rue de la Liberté et vous prenez la rue Pastorelli, à droite. Je vous retrouve au n° 30 à 14 heures ! Au revoir !

▶ Piste n° 18, activité 3, page 27

– Alors Émilie, ton nouvel appartement, il est comment ?

– Formidable ! Grand, lumineux, calme...

– Et il est équipé ?

– Bah... C'est le point négatif. Il y a une vieille cuisinière mais je préfère avoir un four à micro-ondes. Je dois aussi acheter un réfrigérateur.

– Il n'y a pas de lave-vaisselle, j'imagine ?

– Si ! Les anciens propriétaires ont laissé leur machine qui est en bon état, comme le lave-linge dans la salle de bains.

– Et pour les meubles ?

– Oh, il y a un lit double, une table et quatre chaises. C'est très simple. Mais mes parents vont me donner un canapé-lit. C'est plus confortable pour regarder la télé.

– C'est sympa de penser à tes amis !

– Oh, mais je ne t'ai pas dit le plus important ! Il y a une douche type jacuzzi !

– Waouh ! Et tu me le montres quand ton appartement ?

▶ Piste n° 19, activité 12, page 29

a rue – b boulevard – c tourner – d douche – e induction – f couchage

Bilan

▶ Piste n° 21, activité 1, page 30

CÉCILE : Alors, finalement, qu'est-ce qu'on fait pour les vacances ? On part dans le Sud ?

ROGER : Tu ne veux pas aller chez Pierre ? Il habite en Bretagne depuis un an. On peut habiter chez lui. Il a un grand appartement qui est dans le centre de Rennes. Il a une chambre d'amis et dans son salon il a un canapé-lit. Il sera très heureux de nous voir avec les enfants.

CÉCILE : Non, tu sais, je ne le connais pas très bien et je préfère aller au soleil, à Nice. On peut louer un grand F2 ou un F3. Ça sera plus cher, mais on sera plus tranquilles tous les quatre, et puis on pourra aller à la mer. Je connais un site avec beaucoup d'appartements à louer pour les vacances.

ROGER : Je veux bien, mais dans ce cas, c'est mieux de réserver tout de suite pour avoir un meilleur prix.

CÉCILE : Vas-y ! Tape www point immosud point fr. Et maintenant, tu cliques sur Nice et tu valides. Non, tu as cliqué sur Nîmes ! Reviens sur la page d'accueil.

ROGER : Ah, voilà ! Mais je trouve que c'est cher sur ce site. Pourquoi tu n'écris pas à ta copine qui travaille dans une agence immobilière ? Elle peut peut-être nous trouver un appartement moins cher.

CÉCILE : C'est une bonne idée !

▶ Piste n° 22, activité 5, page 31

AGENT : Agence du centre, bonjour.

ROGER : Bonjour monsieur, je vous appelle parce que je suis intéressé par un appartement que vous louez.

AGENT : Oui, lequel monsieur ?

ROGER : L'appartement de trois pièces.

AGENT : Celui qui est près du port ?

ROGER : Non, celui qui est près de la gare.

AGENT : Celui à 400 euros la semaine ?

ROGER : Oui, c'est ça. Est-ce qu'il est libre entre le 31 mars et le 13 avril ?

AGENT : Oui.

ROGER : Parfait ! J'ai une autre question : l'appartement est bien à dix minutes de la mer ?

AGENT : Oui, à dix minutes en bus.

ROGER : Ah, en bus ! Pas à pied ?

AGENT : Non, à pied il faut trente minutes pour aller à la mer.

ROGER : Et où est l'arrêt de bus ? Il est loin de l'immeuble ?

AGENT : Ah, ça, je ne sais pas. Mais vous pouvez poser la question au propriétaire. Je vous donne son e-mail : c'est vincent.perrin@hotmail.com.

ROGER : C'est noté. Je vous remercie.

AGENT : Je vous en prie. Au revoir monsieur.

ROGER : Au revoir.

DOSSIER 3 Raconter

Leçon 9 ■ C'était étonnant !

Piste n° 23, activité 2, page 34

LOÏC : Oh, là, là ! Je suis bien content d'être à la maison !

NATHALIE : Pourquoi tu dis ça ? Tu n'as pas aimé le spectacle ?

LOÏC : Il y avait beaucoup trop de monde dans les rues de Nice ! Et quel bruit ! On devait crier pour communiquer !

NATHALIE : Eh bien, pour moi, c'était fantastique ! Les géants étaient extraordinaires avec leurs habits de toutes les couleurs ! D'accord, la musique faisait mal aux oreilles parfois, mais quelle ambiance !

LOÏC : Les gens préféraient manger leurs gâteaux !

NATHALIE : Ce n'est pas vrai... Les enfants regardaient les géants avec admiration ! En plus, il faisait très beau aujourd'hui.

LOÏC : Il faisait chaud, oui ! Et tous ces géants n'avançaient pas...

NATHALIE : Bon... J'ai compris : la prochaine fois, tu restes à la maison.

Piste n° 24, activité 13, page 37

a Vous allez bien ?

b Il a fait beau.

c C'est très étonnant.

d Vous allez au cinéma ?

e J'ai fait du café noir.

f Tu pars ?

g J'ai aimé.

Leçon 10 ■ Camille Claudel

Piste n° 25, activité 1, page 38

SYLVIA : Allô !

VÉRONIQUE : Salut Sylvia, c'est Véronique. Tu as regardé le journal télévisé sur France 3 aujourd'hui ?

SYLVIA : Non. Pourquoi ?

VÉRONIQUE : Ils ont parlé de Piero. Tu sais, l'artiste qu'on a vu le mois dernier à la Galerie des arts.

SYLVIA : Un peintre italien ?

VÉRONIQUE : Non, un sculpteur du Sud de la France. Il faisait des sculptures en papier journal.

SYLVIA : Ah oui, je me souviens.

VÉRONIQUE : Eh bien, il est devenu fou. Il s'est enfermé chez lui et il a brûlé toutes ses sculptures.

SYLVIA : Ah bon ?

VÉRONIQUE : Un voisin a appelé la police et ils l'ont emmené dans un hôpital psychiatrique.

SYLVIA : Oh, c'est triste !

VÉRONIQUE : Oui, beaucoup d'artistes sont un peu paranoïaques, mais heureusement pas aussi fous que lui.

Leçon 11 ■ Changement de vie

Piste n° 28, activité 2, page 42

BÉATRICE : Salut Ludmila !

LUDMILA : Salut Béatrice ! Tu as passé un bon week-end ?

BÉATRICE : Très bon. Je suis allée au salon de la formation professionnelle. C'était très intéressant.

LUDMILA : Le salon de la formation professionnelle ! Mais pourquoi ? Tu as déjà un travail !

BÉATRICE : Oui, mais j'ai commencé à travailler dans la banque il y a dix ans. Au début, ce travail me plaisait, mais maintenant, je ne suis pas vraiment contente. J'ai décidé de faire autre chose, de changer de voie.

LUDMILA : Et dans quel domaine tu veux travailler ?

BÉATRICE : J'ai envie d'enseigner, de travailler avec des étudiants. J'ai fait des études d'anglais à l'université il y a quinze ans. Ces études me plaisaient beaucoup. Je suis allée au salon ce week-end pour trouver une formation de professeur d'anglais.

LUDMILA : Et tu as trouvé ?

BÉATRICE : Oui, je vais suivre une formation pendant huit mois aux États-Unis.

LUDMILA : Aux États-Unis, c'est génial !

Piste n° 29, activité 6, page 44

a J'étais professeur de français.

b J'ai décidé de changer de carrière.

c J'ai vécu à l'étranger, puis je suis rentré en France.

d J'aimais beaucoup mon travail.

e Je suis partie en Chine et j'ai travaillé comme hôtesse d'accueil.

f Je travaillais dans la banque.

g J'ai changé de voie.

h Cette formation ne me plaisait pas.

Bilan

Piste n° 31, activité 1, page 46

ANNABELLE : Salut Jules ! Tu es en retard... Qu'est-ce qui s'est passé ? Tu étais à l'université ?

JULES : Salut Annabelle ! Désolé, mais j'ai fait une rencontre incroyable !

ANNABELLE : Tu vas me raconter, je suis curieuse... Je t'offre un café ?

JULES : Attends, attends ! Il pleuvait, j'étais dans la rue, je marchais vite et, devant moi, il y avait une femme qui regardait le ciel et avançait lentement.

ANNABELLE : Ah, ah... Surprenant...

JULES : Attends ! Un homme est arrivé très vite, il a pris son sac et il est reparti aussi vite. Elle a eu peur et elle a crié. J'ai couru derrière l'homme et quand je suis revenu avec le sac, j'ai reconnu cette femme ! C'était Philomène Gaspari, la célèbre sculptrice belge !

ANNABELLE : Je ne connais pas ta célèbre Philomène. Mais après, qu'est-ce qui est arrivé ?

JULES : Elle m'a remercié et elle m'a donné une invitation pour aller voir son exposition.

ANNABELLE : Et c'est tout ?

JULES : Quoi, c'est tout ? C'est génial ! J'ai trouvé le sujet de mon prochain article !

ANNABELLE : Ah bon ? Tu as terminé tes recherches sur l'écrivain Paul Mazard ?

JULES : Oui ! J'ai décidé d'écrire un article sur Philomène Gaspari ! Allez, je dois partir, j'ai du travail ! Ciao !

ANNABELLE : Mais... Et ton café ? Jules ! Attends !

DOSSIER 4 S'exprimer

Leçon 13 ■ Ouais, c'est ça...

 Piste n° 32, activité 2, page 48

1

ENQUÊTEUR : Bonjour, je fais une enquête sur les loisirs des étudiants pour le journal de la fac. Tu peux répondre à quelques questions ?

HOMME : Euh, ouais.

ENQUÊTEUR : Tu as quel âge ?

HOMME : J'ai 21 ans.

ENQUÊTEUR : Qu'est-ce que tu étudies ?

HOMME : Je suis en licence de lettres.

ENQUÊTEUR : Quels sont tes loisirs ?

HOMME : J'adore lire et aller au cinéma. J'aime bien aussi retrouver des amis dans un café et discuter.

ENQUÊTEUR : Tu fais du sport ?

HOMME : Je déteste le sport !

ENQUÊTEUR : Merci.

HOMME : C'est tout ?

ENQUÊTEUR : Oui !

HOMME : Bon, ben, salut !

2

ENQUÊTEUR : Excuse-moi, bonjour, je fais une enquête sur les loisirs des étudiants. Tu as le temps de répondre à quelques questions ?

FEMME : Bien sûr.

ENQUÊTEUR : Tu as quel âge ?

FEMME : 23 ans.

ENQUÊTEUR : Et qu'est-ce que tu fais comme études ?

FEMME : Je suis en master de socio.

ENQUÊTEUR : Quels sont tes loisirs préférés ?

FEMME : Je fais beaucoup de sport, j'adore le sport. Je fais du foot, de la natation, du vélo...

ENQUÊTEUR : O.K. Et quoi d'autre ?

FEMME : Ben... C'est tout.

ENQUÊTEUR : Ah ! Euh... Tu n'aimes pas lire ?

FEMME : Si, j'aime bien lire un bon livre.

ENQUÊTEUR : Et le cinéma ?

FEMME : Non, je n'aime pas le cinéma, c'est ennuyeux. Et je déteste regarder la télévision.

ENQUÊTEUR : Bon, ben, merci.

FEMME : De rien. Salut.

 Piste n° 33, activités 13 et 14, page 51

a Charlotte et Jean jouent à des jeux vidéos.
b Julie achète le journal chaque jour.
c Je peux prendre la chaise rouge ?
d J'offre une tournée à chaque personne.
e Charles et Julie Chevalier sont au Japon.
f J'ai décroché un travail dans un journal.

Leçon 14 ■ Écologie

 Piste n° 34, activité 9, page 55

La consommation des énergies fossiles rejette des gaz et c'est pour ça que le climat se réchauffe. Pour lutter contre ce réchauffement climatique qui représente un vrai danger pour la planète, le conseil général a proposé un plan « climat-énergie ». Parmi les solutions proposées : covoiturage, tarifs spécial jeunes dans les transports en commun.

Leçon 15 ■ Le loup

 Piste n° 35, activité 1, page 56

a Je ne veux pas que mes enfants jouent aux jeux vidéo. Je pense que ce n'est pas bien pour eux.
b Ça ne sert à rien de prendre sa voiture tous les jours pour aller travailler. Ça pollue.
c J'adore les animaux et je trouve que le retour des ours dans les Pyrénées est une bonne chose.
d Ils viennent d'ouvrir un hôtel pour chats à Paris. Je trouve ça vraiment stupide !
e Il faut développer le covoiturage pour lutter contre le réchauffement climatique.
f Je pense qu'il ne faut pas autoriser ses enfants à avoir un compte Facebook. C'est dangereux.

 Piste n° 36, activité 12, page 59

a un ours – b un cerf – c un oiseau – d une girafe – e un poisson – f un chien

Bilan

Piste n° 38, activité 1, page 60

VALENTIN : J'ai envie de partir ce week-end, pas vous ?

ELIA : Pourquoi pas ! Et toi, Céline, ça te dit ?

CÉLINE : Ouais, bonne idée ! On va à la mer ? J'adore prendre le soleil !

VALENTIN : Ah non ! Il y a plein de touristes le week-end à la mer ! Et puis moi, je déteste prendre le soleil. Ce que je préfère, c'est la campagne, la nature, le calme. Et toi, Elia ?

ELIA : Oh oui ! Le calme ! J'adore la campagne. Un week-end dans un gîte écologique, ça vous dit ?

CÉLINE : Un gîte écologique ! Qu'est-ce que c'est ?

VALENTIN : C'est une super idée ! Un gîte écologique, c'est un gîte qui s'engage dans la protection de l'environnement : il utilise des énergies renouvelables, par exemple.

ELIA : Oui, il y a des gîtes écologiques dans le parc national du Mercantour. Et ce qui est génial, c'est de faire des promenades dans la nature et découvrir la faune et la flore. On peut même voir des loups !

VALENTIN : Super ! Je regarde sur Internet pour réserver.

CÉLINE : Ben moi, je préfère aller à la mer. Je ne viens pas avec vous : les plantes, les animaux, je trouve que c'est ennuyeux. Et les loups, non merci ! Je préfère le soleil... et les touristes !

Piste n° 39, activité 3, page 61

ELIA : Il est vraiment magnifique ce parc ! Et Céline qui préfère la mer ! Regarde l'homme en vert, là-bas, qui vient de se lever.

VALENTIN : Oui, et alors ?

ELIA : Il a pique-niqué et il a laissé un sac en plastique et une bouteille vide par terre. Eh, monsieur !

L'HOMME : Oui ?

ELIA : Vous n'oubliez pas quelque chose ?

L'HOMME : Quoi ?... Ah ça, et alors ?

ELIA : Mais il faut jeter ça dans une poubelle ! Mais... Vous avez coupé des fleurs ?

L'HOMME : Elles sont jolies, n'est-ce pas ? Je vais les offrir à ma copine. Elle adore cette espèce rare.

ELIA : Vous ne pouvez pas faire ça, c'est interdit ! Je trouve que vous ne pensez qu'à vous !

L'HOMME : Et moi, je pense que vous devriez vous occuper de vos affaires !

ELIA : Tu as vu ça ? Et toi, tu n'as rien dit !

VALENTIN : D'accord, il ne respecte pas la nature, mais il aime sa copine, tu ne peux pas dire le contraire !

Piste n° 40, activité 5, page 61

ELIA : Allô, Céline ?

CÉLINE : Salut Elia ! Alors, votre week-end à la campagne se passe bien ?

ELIA : Oui, super !

CÉLINE : Qu'est-ce que vous avez fait hier ?

ELIA : Nous nous sommes promenés dans le parc et nous avons vu beaucoup d'animaux.

CÉLINE : Des animaux domestiques ? Moi aussi, j'ai vu des chiens et des chats.

ELIA : Mais non, des animaux sauvages.

CÉLINE : C'est vrai ?

ELIA : Oui, des cerfs, des bouquetins et même un ours !

CÉLINE : Un ours ? Je ne te crois pas.

ELIA : Mais si, il était magnifique ! Bon, et toi ?

CÉLINE : Moi, j'ai passé la journée à la plage et j'ai rencontré un garçon très sympa...

ELIA : Oh, je vois !

CÉLINE : Bon, il m'appelle. Fais un bisou à Valentin. On se voit lundi.

ELIA : O.K. Je t'embrasse.

DOSSIER 5 Travailler

Leçon 17 ■ Nous vous rappellerons

Piste n° 41, activité 1, page 64

IVAN : Salut Michel ! Qu'est-ce que tu regardes ? Tu cherches un appartement ?

MICHEL : Non, un petit travail.

IVAN : Tu veux arrêter tes études ?

MICHEL : Non, je cherche un job pour les vacances de Pâques. Je dois travailler pour avoir un peu d'argent pour cet été. Je voudrais partir en Australie. Je rêve de visiter ce pays.

IVAN : T'as regardé dans le journal de la fac ?

MICHEL : Oui, et aussi sur Internet, mais je n'ai rien trouvé pour le moment.

[...]

IVAN : Allô, Michel ? C'est Ivan. Tu vas bien ?

MICHEL : Ça va, mais je suis un peu stressé... Je passe un entretien d'embauche tout à l'heure.

IVAN : Tu as trouvé un travail ? Super !

MICHEL : Oui, c'est une amie de ma mère... Elle a un magasin de vêtements. Je lui ai téléphoné hier et je lui ai envoyé mon CV par mail. Elle m'a téléphoné ce matin pour me proposer un rendez-vous.

IVAN : Je suis sûr que ça va bien se passer. Tu me rappelles quand tu as fini ?

MICHEL : Bien sûr. À plus tard !

Transcriptions

Piste n° 42, activité 13, page 67

a C'est parfait. – b C'est sombre. – c une entreprise –
d la préparation – e une embauche – f un aspirateur

Piste n° 43, activités 14 et 15, page 67

a Bernard a un très bon job à Paris.
b Ils ne l'ont pas rappelé pour ce poste.
c L'entreprise de Pierre marche très bien.
d Sur ce boulevard, il y a un bar brésilien.
e Brigitte et Pascal habitent dans un petit appartement.
f Il ne faut pas passer l'aspirateur dans cette pièce.

Leçon 18 ■ L'entretien

Piste n° 44, activité 2, page 68

CLAIRE : Pfff... Je dois faire mon CV, mais je ne sais pas comment !

ROBERT : Ben, c'est simple ! Il faut que tu parles de tes études, de ta formation.

CLAIRE : Je sais, mais j'ai un master d'histoire et ensuite j'ai fait une formation pour devenir professeur de français. Ce n'est pas très logique !

ROBERT : C'est pas grave, ça montre que tu t'intéresses à beaucoup de choses. Ensuite, tu dois parler de ton expérience professionnelle : fais la liste des emplois que tu as eus. Présente les plus récents en premier.

CLAIRE : J'ai été vendeuse dans un magasin, hôtesse d'accueil... Ça n'intéressera pas le recruteur !

ROBERT : Mais si ! Il faut que tu dises aussi quelles langues tu parles. Précise que tu parles anglais et allemand couramment et que tu as appris l'espagnol, c'est important. Tu peux aussi parler de tes centres d'intérêt.

CLAIRE : Mes centres d'intérêt ? Pourquoi je dois parler de mes loisirs dans un CV ?

ROBERT : Parce que tes loisirs donnent des informations sur ta personnalité. Tu fais beaucoup de sport, ça veut dire que tu es très dynamique. Tu envoies ton CV pour quel poste ?

CLAIRE : Journaliste.

ROBERT : Ah ! Tu as de l'expérience dans le journalisme ?

CLAIRE : Non.

ROBERT : Et tu as les compétences ?

CLAIRE : Je ne sais pas, mais j'ai beaucoup de qualités : je suis sympa, souriante...

Piste n° 45, activité 9, page 70

Écoutez l'exemple :
Préparer l'entretien soigneusement, tu.
→ *Il faut que tu prépares l'entretien soigneusement.*
C'est à vous.

a Maîtriser le CV, vous.
  Il faut que vous maîtrisiez votre CV.
b Avoir une connaissance de l'entreprise, nous.
  Il faut que nous ayons une connaissance de l'entreprise.
c Arriver une dizaine de minutes à l'avance, je.
  Il faut que j'arrive une dizaine de minutes à l'avance.
d Éviter les vêtements négligés, vous.
  Il faut que vous évitiez les vêtements négligés.
e Être à l'écoute, je.
  Il faut que je sois à l'écoute.
f Rester poli, tu.
  Il faut que tu restes poli.

Piste n° 46, activité 12, page 71

a parfaitement – b la coiffure – c le savoir-vivre –
d vite – e une main ferme – f la motivation

Piste n° 47, activités 13 et 14, page 71

a Évitez les vêtements négligés et ayez une coiffure soignée.
b Vous devez arriver un peu en avance à votre entretien.
c Il faut que vous maîtrisiez parfaitement votre CV.
d Vous ne devez pas vous asseoir avant votre recruteur.
e Il ne faut pas que vous parliez trop vite.
f À la fin de l'entretien, serrez-lui la main fermement.

Leçon 19 ■ Égalité !

Piste n° 48, activité 2, page 73

PERSONNE 1 : Oh, j'adore cette journée parce que mon mari s'occupe de toutes les tâches ménagères : il fait les courses, il prépare à manger... et il m'offre des fleurs ! Et puis, je trouve que c'est important pour les femmes parce que c'est l'occasion de faire le bilan sur les différentes actions réalisées pour la parité.

PERSONNE 2 : Ce n'est pas une journée qui va changer le monde. Les journalistes nous fatiguent avec la parité ! Dans les magazines, à la radio, à la télévision, on parle seulement des femmes et je pense que c'est inutile parce que les hommes et les femmes ne peuvent pas être égaux.

PERSONNE 3 : La Journée de la femme ? Vous savez, ça ne m'intéresse pas beaucoup. Je pense que c'est une journée comme une autre, mais c'est peut-être important pour combattre les inégalités entre les hommes et les femmes. Enfin, je ne sais pas. Ma femme gagne le même salaire que moi, alors...

PERSONNE 4 : Il faudrait que ce soit tous les jours la Journée de la femme ! Pour combattre les inégalités, il faut prendre des mesures mais il faut aussi des actions concrètes. Je trouve que cette journée ne change pas la situation des femmes.

PERSONNE 5 : Moi, je n'attends pas la Journée de la femme pour respecter les femmes ! Les hommes peuvent participer aux activités domestiques et les femmes peuvent diriger une entreprise.

Piste n° 49, activité 6, page 74

Écoutez l'exemple : Ils ne savent pas cuisiner.
→ *Il faudrait qu'ils sachent cuisiner.*

a Ils ne sont pas présents.
   Il faudrait qu'ils soient présents.
b Nous n'avons pas plusieurs bras.
   Il faudrait que nous ayons plusieurs bras.
c Ils n'ont pas le temps de passer l'aspirateur.
   Il faudrait qu'ils aient le temps de passer l'aspirateur.
d Nous ne sommes pas toujours disponibles.
   Il faudrait que nous soyons toujours disponibles.
e Ils ne vont pas faire les courses.
   Il faudrait qu'ils aillent faire les courses.
f Nous ne pouvons pas tout faire.
   Il faudrait que nous puissions tout faire.
g Ils ne veulent pas nous écouter.
   Il faudrait qu'ils veuillent nous écouter.
h Nous ne faisons pas la vaisselle.
   Il faudrait que nous fassions la vaisselle.

Piste n° 50, activité 10, page 75

a un emploi – b le savoir-vivre – c un effort –
d la parité – e au bureau – f un avis – g le partage

Piste n° 51, activités 11 et 12, page 75

a Travailler à ce poste est vraiment fatigant.
b Pendant l'entretien d'embauche, il ne faut pas parler trop vite.
c Béa et Paul vont trouver un job facilement.
d Valérie Beaupont est une femme politique importante et influente.
e En France, les hommes participent plus aux tâches domestiques qu'avant.
f Bernard et sa femme Virginie viennent de trouver un poste en Afrique.

Bilan

Piste n° 52, activité 1, page 76

LOÏC : Papa, papa !
SIMON : Qu'est-ce qu'il y a ?
LOÏC : C'est à l'école. Les autres ne sont pas gentils. Ils se moquent de moi.
SIMON : Qu'est-ce qui s'est passé ?

LOÏC : Ce matin, dans la classe, le professeur nous a demandé ce qu'on pensait de la parité hommes / femmes. Et tous les élèves étaient pour. Le professeur nous a demandé si on pouvait donner des exemples. Moi j'ai dit que, dans notre famille, c'est maman qui travaille et que c'est toi qui fais le ménage et la cuisine à la maison. Mais depuis qu'on est sortis de la classe, ils n'arrêtent pas de rire et m'appellent « l'aspirateur ».
SIMON : Oui, tes copains sont vraiment stupides ! Les mentalités ne changent pas très vite ! Mais toi, qu'est-ce que tu penses de cette situation ? Tu voudrais que je sois comme tous les autres pères et que j'aille travailler ?
LOÏC : Ben, je sais pas.

Piste n° 53, activité 2, page 76

NAÏMA : Coucou, c'est moi !
SIMON : Bonjour ma chérie. Ça s'est bien passé ta journée ?
NAÏMA : Oui, et toi ?
SIMON : Moi oui, mais c'est Loïc. Les enfants se sont moqués de lui à l'école aujourd'hui.
NAÏMA : Qu'est-ce qu'il a encore fait ?
SIMON : Il n'a rien fait, mais ses copains se sont moqués de lui parce qu'il leur a dit que c'est moi qui reste à la maison. J'ai bien réfléchi. Je pense que je devrais peut-être recommencer à travailler. Loïc est grand maintenant.
NAÏMA : Tu es sûr ? Tu as arrêté depuis plusieurs années.
SIMON : Oui, je pense que c'est le moment. Sur Internet, j'ai vu une annonce pour un travail saisonnier dans un hôtel. Ils cherchent des personnes qui parlent anglais couramment. Je pense que j'ai les compétences, mais il faut que je refasse mon CV.

DOSSIER 6 Vivre

Leçon 21 ■ Et la salle de bains ?

Piste n° 01, activité 1, page 78

ANISSA : Alors ? Comment tu trouves ton nouvel appartement ?
ANTOINE : Super ! Il y a un grand salon qui donne sur le jardin et où je peux me reposer devant la cheminée avec un bon livre !
ANISSA : Ah ouais ! C'est la pièce où tu vas passer le plus de temps...
ANTOINE : Eh, non ! La cuisine est plus intéressante ! Elle est bien rangée et il y a beaucoup de vaisselle,

donc pas besoin d'acheter d'assiettes, de verres, etc.

ANISSA : Mais n'oublie pas tes études ! Tu n'es pas cuisinier...

ANTOINE : Ne t'inquiète pas... Il y a une pièce spéciale où je vais pouvoir travailler dans le calme. Elle est très confortable, j'y ai installé mon bureau et des étagères pour mes livres.

ANISSA : C'est formidable, dis donc ! Et la chambre ?

ANTOINE : Très confortable aussi et il y a un grand placard : je vais pouvoir y ranger facilement tous mes vêtements... Et la salle de bains... Tu vas l'adorer... Il y a beaucoup de soleil et une belle baignoire. Il y a un seul problème : l'appartement est trop grand pour moi tout seul.

ANISSA : Tu ne cherches pas de colocataire ?

ANTOINE : Bah si, justement... Tu sais, il y a une deuxième chambre...

📝 **Piste n° 02, activité 11, page 81**

a appartement – b étagère – c couverts – d réponse – e chambre – f bureau

Leçon 22 ■ Citoyens

📝 **Piste n° 04, activité 1, page 82**

FÉLIX : C'est moi !

JACQUELINE : Bonjour mon chéri. Alors, qu'est-ce que t'as fait à l'école aujourd'hui ?

FÉLIX : Notre prof nous a parlé de la Déclaration universelle des droits de l'homme de 1789.

KATY : Les droits de l'homme ! Et les droits de la femme alors ?

FÉLIX : Pff !

JACQUELINE : Ne te moque pas de ta sœur ! Je ne sais pas si on va vous parler de ça en classe, mais... Est-ce que vous pouvez imaginer qu'en 1791, il y avait une femme qui s'appelait Olympe de Gouges qui a écrit la Déclaration des droits de la femme et de la citoyenne ?

KATY : C'est vrai ?

JACQUELINE : Oui, tu peux regarder sur Internet. [...] Article premier : toutes les femmes naissent libres et égales aux hommes en droits.

FÉLIX : Et pour mon chien, qu'est-ce qu'il y a ?

KATY : T'es vraiment stupide, Félix !

JACQUELINE : Mais ça aussi, ça existe ! C'est la Déclaration universelle des droits de l'animal de 1978.

KATY : C'est fou tout ce que tu sais !

📝 **Piste n° 05, activité 12, page 85**

a l'éducation – b la page – c le citoyen – d la déclaration – e le personnage – f le Parisien

📝 **Piste n° 06, activités 13 et 14, page 85**

a Les Parisiens ne sont pas toujours de bons citoyens.

b Les gens de toutes nationalités ont droit à l'éducation.

c Tous les citoyens ont les mêmes droits sans distinction de religion.

d Je suis d'accord avec cette description des Parisiens.

📝 **Piste n° 07, activité 15, page 85**

Les jeunes Parisiens ne sont pas toujours souriants.

Leçon 23 ■ Projet d'urbanisme

📝 **Piste n° 08, activité 1, page 86**

a Les jeux pour les enfants, par exemple le mur d'escalade, c'est une idée vraiment super ! Ils vont se régaler les gosses !

b Interdire les voitures, c'est une très mauvaise idée ! Les gens travaillent aussi à Paris, il n'y a pas que des touristes !

c Des petites îles sur la Seine ? C'est un peu délirant mais c'est génial !

d Il y aura des jardins, des plantations, de la nature quoi ! Je trouve que c'est une très bonne chose.

e Ils vont mettre des chaises longues ? J'en profiterai, j'adore prendre le soleil.

f Les bateaux qui amarrent sur les berges, je ne suis pas pour. Je trouve que ça va polluer la Seine encore plus !

📝 **Piste n° 09, activité 12, page 89**

a une plante – b une berge – c une possibilité – d un endroit – e évolutif – f regarder

📝 **Piste n° 10, activités 13 et 14, page 89**

a C'est un très beau projet d'urbanisme.

b C'est un lieu superbe qui va ouvrir prochainement.

c C'est complètement incroyable !

d C'est vraiment délirant !

e Il y aura des plantes vertes.

f Laure Bernard s'est régalée dans ce bateau restaurant.

Bilan

📝 **Piste n° 11, activité 1, page 90**

FLORENT : Salut Émilie ! Tu as l'air triste. Qu'est-ce qui se passe ?

ÉMILIE : Bah, tu sais que je vais m'installer à Paris le mois prochain pour mon nouveau travail ?

FLORENT : Oui, je sais, et alors ? Tu n'es pas heureuse d'aller vivre à Paris ?

ÉMILIE : Si, mais j'y suis allée la semaine dernière pour visiter des appartements et c'est vraiment difficile de trouver quelque chose.

FLORENT : J'imagine… À Paris, les loyers sont chers.

ÉMILIE : Oh, oui, c'est complètement délirant ! Et puis surtout, les appartements que j'ai vus sont vraiment petits et assez bruyants… C'est terrible ! Je ne sais pas quoi faire…

FLORENT : Tu sais, il ne faut pas être trop difficile. Tu cherches quoi exactement ?

ÉMILIE : Un studio où je pourrai dormir, manger et travailler ! C'est tout !

FLORENT : Écoute, j'ai peut-être une solution. Mon cousin Maxime habite à Paris en colocation avec une amie qui s'appelle Alicia. Je crois qu'ils ont une chambre très confortable à louer.

ÉMILIE : Vraiment ? Ce serait cool qu'ils aient une chambre pour moi.

FLORENT : Je vais écrire un mail à mon cousin. On verra bien !

ÉMILIE : Super ! Mais… Ils sont parisiens, Maxime et Alicia ?

FLORENT : Oui, pourquoi ? Tu n'aimes pas les Parisiens ?

ÉMILIE : Euh…

DOSSIER 7 Consommer

Leçon 25 ■ C'est pas possible !

⧉ **Piste n° 12, activité 2, page 94**

1 – Bonjour madame, je peux vous aider ?
– Bonjour, je cherche un presse-agrumes.
– Nous avons ce modèle, très basique, en métal. C'est le moins cher.
– Il n'est pas électrique ?
– Ah non !

2 – Bonjour. Je peux vous aider ?
– Vous avez des robots ménagers ?
– Nous avons celui-ci. C'est un modèle très design. Sa forme est très actuelle.
– Il est en quelle matière ?
– En métal.

3 – Il est sympa, ce presse-agrumes avec sa forme ronde !
– Oui, et il est électrique. Il coûte 20 euros.
– Il est en plastique ?
– Oui.

4 – Regarde ce robot : il n'est pas très cher.
– Oui, mais il n'est pas très beau. Sa forme n'est pas très actuelle.
– C'est pas important ça ! Un robot, c'est pour faire la cuisine. C'est pas un objet de décoration !

⧉ **Piste n° 13, activité 13, page 97**

a le patron – b le client – c le vendeur – d le magasin – e le genre – f le confort

⧉ **Piste n° 14, activité 14, page 97**

a L'appartement de Roland est très grand.
b Léon n'est pas très content.
c Son cousin travaille dans un grand magasin.
d Sa tante s'appelle Bérangère.
e Ils ont trois grands enfants.
f Bertrand ne connaît pas son prénom.

Leçon 26 ■ Pub magazine

⧉ **Piste n° 15, activité 2, page 98**

Un journaliste a posé la question suivante à 5 personnes : quelle(s) fonction(s) utilisez-vous sur votre smartphone ?

PERSONNE 1 : Oh, moi, vous savez, j'utilise mon smartphone pour téléphoner. Je pense que les gens passent trop de temps à jouer avec cet appareil. Pour me réveiller, le matin, je trouve que c'est pratique. Le reste ne m'intéresse pas.

PERSONNE 2 : J'ai plein d'amis, alors j'envoie beaucoup de SMS ou de MMS. Je n'ai pas d'appareil photo, alors, pour moi, le smartphone est très pratique car je peux prendre toutes les photos que je veux.

PERSONNE 3 : Oh ! là, là ! Moi, je l'utilise comme agenda : c'est plus pratique que le papier et je n'oublie aucun rendez-vous. Je me déplace beaucoup pour mon travail, alors le GPS me sauve la vie.

PERSONNE 4 : Avec mon smartphone ? Eh bien, je téléphone, bien sûr ! Mais j'ai aussi découvert une application incroyable qui me permet de traduire les messages de mes amis étrangers.

PERSONNE 5 : Moi, je ne téléphone pas souvent… Mon smartphone, je l'utilise pour rester en contact avec mes amis grâce aux réseaux sociaux. Et j'envoie beaucoup de SMS.

⧉ **Piste n° 16, activité 11, page 101**

Exemple : Italien ou italienne ?
→ J'entends le masculin puis le féminin.

a Indien ou indienne ?   d Breton ou bretonne ?
b Afghane ou afghan ?   e Ghanéenne ou ghanéen ?
c Philippine ou philippin ?

Leçon 27 ■ Pub radio

⧉ **Piste n° 18, activité 1, page 102**

CARO : Allô, Phil ? C'est Caro. Tu sais que c'est l'anniversaire de Véro samedi prochain. Tu veux pas qu'on lui fasse un cadeau ensemble ?

PHIL : Si, c'est une bonne idée. Qu'est-ce qu'on pourrait lui offrir ?

CARO : Je ne sais pas. Elle a déjà tout. Elle vient de s'acheter un ultrabook.

PHIL : Et qu'est-ce que tu penses d'une petite imprimante pour ses photos ?

CARO : Je crois qu'elle en a déjà une.

PHIL : Et elle a une tablette tactile ?

CARO : Ah ça non. Je sais qu'elle n'en a pas.

PHIL : Dans le magasin à côté de chez moi, il y a toujours des promos et ils font des super prix en ce moment. Je crois qu'ils ont plusieurs modèles à moins 20 % pendant toute la semaine. Je pense que je peux en trouver une sympa pour 100 euros.

CARO : O.K. Alors tu l'achètes et on partage ensuite.

PHIL : D'accord, je m'en occupe ! À plus tard.

CARO : Je t'embrasse.

▶ Piste n° 19, activité 11, page 105

Exemple : J'en ai pas.

a Il en a un.
b Elles en ont beaucoup.
c T'en as pas un ?
d On n'en a pas.
e Vous en avez combien ?
f On en a dix-huit.

Bilan

▶ Piste n° 21, activité 1, page 106

LA SECRÉTAIRE : Créa plus, bonjour !

M. DELASANGE : Allô bonjour, je souhaiterais parler à monsieur Fauguet, s'il vous plaît.

LA SECRÉTAIRE : Oui, c'est à quel sujet ?

M. DELASANGE : C'est pour lancer une nouvelle campagne publicitaire pour un de mes produits. Je suis déjà passé par votre agence l'année dernière.

LA SECRÉTAIRE : Vous êtes monsieur... ?

M. DELASANGE : Delasange, monsieur Delasange.

LA SECRÉTAIRE : Un instant, s'il vous plaît !... Monsieur Fauguet ? Monsieur Delasange en ligne.

M. FAUGUET : Passez-le-moi, Sylvia...

Monsieur Delasange ? Comment allez-vous ?

M. DELASANGE : Très bien, merci. Je vous appelle car ma société va lancer un nouveau produit sur le marché et comme la dernière campagne s'est très bien passée...

M. FAUGUET : Oui. Il s'agissait d'un robot ménager...

M. DELASANGE : Oui, d'un presse-agrumes que nous avons vendu en supermarché pour la fête des Mères l'année dernière. Nous en avions un basique en plastique et aussi un modèle de luxe en métal et en verre. Il était programmable et à un prix incroyablement bas. Mais c'est celui en plastique qui s'est le mieux vendu. Cette année, nous voulons vendre un autre type de produit. Il s'agit d'un smart-

phone à 99 euros. Nous voulons deux publicités : une qui passera à la radio et une autre pour les journaux.

M. FAUGUET : Entendu. Envoyez-nous toute la documentation sur ce produit et on se voit dans trois semaines.

M. DELASANGE : Parfait. À très bientôt.

DOSSIER 8 Discuter

Leçon 29 ■ La culture pour tous

▶ Piste n° 22, activité 2, page 108

HÉLÈNE : Bonjour Lisa, qu'est-ce que tu fais là ?

LISA : Hélène ? C'est incroyable de se rencontrer au milieu de tous ces gens qui attendent pour entrer ! Je te présente Damien, mon fils.

HÉLÈNE : Je ne savais pas que tu avais des enfants. C'est fou comme il te ressemble ! Bonjour Damien.

DAMIEN : Salut !

HÉLÈNE : J'adore ce musée. J'y viens très souvent. On a vraiment de la chance à Lyon ! Pas besoin d'aller à Paris pour voir des expos sympas. Alors, toi aussi tu aimes l'art contemporain ?

LISA : En fait, pas vraiment. J'y vais parce que mon fils a un travail à faire pour l'école sur cette exposition : Motopoétique.

DAMIEN : On va attendre longtemps ? Ça fait déjà une demi-heure qu'on est là !

LISA : Oh, arrête de râler ! On va bientôt pouvoir entrer.

HÉLÈNE : Je pense que tu vas adorer cette exposition.

DAMIEN : Je suis sûr que c'est trop intello pour moi.

LISA : Attends de voir avant de critiquer !

[...]

HÉLÈNE : Alors Damien, comment tu as trouvé cette expo ?

DAMIEN : Oh, c'était trop chouette et trop marrant ! Y a des trucs qui m'ont vraiment fait rigoler.

HÉLÈNE : Tu vois que l'art n'est pas toujours ennuyeux. Moi, j'ai trouvé ça très poétique. Mais c'est normal, c'est le titre de l'exposition. Et toi, Lisa ? Ça t'a plu ?

LISA : C'est un peu trop froid pour moi, tout ça. Ça ne me parle pas vraiment.

▶ Piste n° 23, activités 12 et 13, page 111

a Gaston adore l'art contemporain grec.

b La culture, ce n'est pas le truc d'Aglaé.

c C'est une grande sculpture qui coûte un fric fou.

d Les gosses ont rigolé en regardant ce spectacle de danse contemporaine.

e Cette gigantesque sculpture de gamine est une création ghanéenne.

f Ce sculpteur portugais est très connu et il crée des œuvres pour de très grandes galeries.

texto

Leçon 30 ■ Manif...

Piste n° 24, activité 1, page 112

Flash n° 1 : Les associations du droit au logement organisent samedi prochain une grande manifestation en faveur des sans-logis qui sont de plus en plus nombreux dans les rues de la capitale. Victimes de la crise économique et de la hausse des loyers, ces personnes se retrouvent dans une grande précarité. Les associations réclament l'arrêt des expulsions mais aussi une baisse des loyers.

Flash n° 2 : Des milliers de retraités ont manifesté hier dans plusieurs villes de France à l'appel des syndicats pour protester contre la nouvelle taxe proposée par le gouvernement. Les manifestants demandent la suppression de cette mesure qui réduira leur pouvoir d'achat.

Flash n° 3 : La circulation est ralentie en raison d'une manifestation surprise des chauffeurs de taxis. Face à la multiplication des VTC (voitures de tourisme avec chauffeur), ils exigent que leur profession soit mieux protégée.

Flash n° 4 : Ils étaient des milliers à manifester contre le gouvernement, vendredi, dans la rue. Inquiets pour leur avenir, les étudiants en médecine réclament une meilleure formation dans les hôpitaux.

Flash n° 5 : Un grand nombre de professeurs ont défilé un peu partout en France contre le projet de loi sur les rythmes scolaires. Ils ont exprimé leur colère face à une mesure prise trop vite. Ils souhaitent conserver le mercredi sans école et proposent la réduction des vacances d'été.

Leçon 31 ■ L'actu des régions

Piste n° 26, activité 1, page 116

JOURNALISTE : Aujourd'hui, la digue du large ouvre au public. Les Marseillais sont nombreux à avoir pris la navette gratuite pour venir découvrir cette promenade et les œuvres monumentales de Kader Attia. Écoutons-les.

PERSONNE 1 : J'adore ! Ce point de vue à la fois sur la ville et sur le large, c'est magnifique !

PERSONNE 2 : J'aime beaucoup l'esprit méditerranéen des œuvres de Kader Attia ; le blanc évoque les villes du Maroc et de l'Algérie.

PERSONNE 3 : Je ne suis peut-être pas assez intello pour apprécier ces trucs en béton, mais moi, je préférais la digue avant ces aménagements.

PERSONNE 4 : Je suis sûr que ça a coûté un fric fou en plus ! Moi aussi, je préférais avant.

PERSONNE 5 : C'est vrai que ça coûte cher, mais là, au moins, les gens peuvent en profiter. On peut se promener, s'asseoir sur les îlots pour pique-niquer face à la mer. C'est la culture pour tous !

PERSONNE 6 : Je pense que je viendrai souvent. C'est un endroit très sympa pour se reposer, discuter entre amis. Et regardez ce panorama, c'est super beau !

Piste n° 27, activité 12, page 119

a le discours – b la capitale – c le bâtiment –
d la digue – e la culture – f l'architecture

Piste n° 28, activités 13 et 14, page 119

a L'histoire de la semaine, c'est la réouverture de la digue du large sur le port autonome.

b Les touristes trouveront sept kilomètres de promenade en face de la Méditerranée.

c Cette sculpture-architecture est une œuvre monumentale constituée de trois îlots.

d Le visiteur pourra marcher sur de gigantesques blocs en béton.

e À l'extrémité du port, vous viendrez peut-être discuter entre amis.

Bilan

Piste n° 29, activité 1, page 120

MARGOT : Oh ! Regarde ! J'aime beaucoup cette sculpture ! C'est chouette, non ?

ALEX : Tu plaisantes ? Où est l'art ? Tout le monde peut faire la même chose. Mais ce tableau, à droite, est magnifique.

MARGOT : Lequel ? Celui-ci ? Tu es sérieux, Alex ?

ALEX : Oui, moi, je l'adore. Les couleurs, les formes... C'est très original !

MARGOT : Je ne te comprendrai jamais... Tiens, une amie. Bonjour Justine !

JUSTINE : Margot ! Salut ! Qu'est-ce que tu fais ici ?

MARGOT : Je te présente un ami américain, Alex. Il est à Bordeaux pour le week-end.

JUSTINE : Salut Alex, enchantée. Tu aimes le musée ?

ALEX : Bonjour. Oui, c'est un musée intéressant... Tu travailles ici ?

JUSTINE : Oui, j'ai eu ce boulot pour un an. Surveiller les salles du musée, c'est facile, et je peux aller à la fac en même temps, mais... je suis pas sûre de rester, le ministère de la Culture n'a plus de fric... Enfin, il n'a plus d'argent... C'est pour ça qu'il faut manifester !

ALEX : Manifester ?

JUSTINE : Oui ! Nous devons nous mobiliser pour la culture ! Les étudiants en histoire de l'art organisent une marche la semaine prochaine.

MARGOT : Bon, Justine, Alex et moi on va pique-niquer au parc demain vers 13 heures. Tu veux venir avec Ludo ? On pourra parler de tout ça plus longtemps.

JUSTINE : Super ! Alors à demain ! Et bonne fin de visite.

▷ Piste n° 30, activité 4, page 121

ALEX : Alors Justine, explique-moi pourquoi les étudiants en histoire de l'art vont manifester la semaine prochaine.

JUSTINE : La culture a de moins en moins d'argent, donc on supprime de plus en plus d'emplois dans les musées.

ALEX : Et alors ?

JUSTINE : Eh bien le chômage augmente !

ALEX : Ah oui ! Bien sûr, je suis stupide !

JUSTINE : Et les emplois qui sont proposés sont souvent à temps partiel et précaires.

ALEX : Précaires ? Qu'est-ce que ça veut dire ?

JUSTINE : Ça veut dire qu'on n'est pas sûr de garder cet emploi. Par exemple, les musées proposent de plus en plus de CDD. Nous demandons que la précarité soit bannie de l'univers de la culture et nous réclamons le respect du droit du travail pour tous.

ALEX : Oui, mais pourquoi manifester ?

JUSTINE : Pour se faire entendre ! Nous voulons ouvrir le dialogue avec le ministre de la Culture et nous souhaitons qu'il réponde à nos propositions.

ALEX : Et quelles sont vos propositions ?

MARGOT : Stop ! Stop ! Stop ! Moi, je revendique le droit de manger tranquillement !

Delf A2

▷ Piste n° 31, exercice 1, page 126

Chers clients, nous vous souhaitons la bienvenue dans votre magasin Béranger. Profitez de ce jour exceptionnel ! Eh oui, aujourd'hui, c'est le jour des promos ! Avec votre carte de fidélité, vous pouvez bénéficier d'une réduction de 15 % sur tous les téléphones portables. Mais ce n'est pas tout, aujourd'hui seulement, l'ordinateur Asus S500 est à 595 euros au lieu de 700 euros ! Alors n'hésitez pas ! Et si vous n'avez pas encore votre carte de fidélité, il suffit de la demander à nos vendeurs, elle est gratuite !

▷ Piste n° 32, exercice 2, page 126

Bonjour, c'est monsieur Polin. Je vous appelle au sujet de l'appartement à louer à Nice. C'est un F4 de 75 m². Il est au cinquième étage et il y a un ascenseur. Il y a une belle cuisine équipée, trois chambres et deux salles de bains. Les WC sont séparés. Le salon est grand (30 m²) et lumineux. Il y a une terrasse de 20 m². Le loyer est de 1300 euros la semaine. Pour confirmer, merci de me rappeler au 06 55 28 85 42. Au revoir.

▷ Piste n° 33, exercice 3, page 127

La Cité des sciences est très appréciée des familles parce qu'elle plaît aux enfants. Elle propose des ateliers d'une heure trente sur des thèmes très variés pour découvrir le monde. La Cité des sciences est un espace très amusant. Les enfants de deux à sept ans peuvent participer à cinq ateliers différents : je me découvre, je sais faire, je me repère, tous ensemble, j'expérimente. Les enfants de cinq à douze ans peuvent manipuler des machines, comprendre le corps humain et découvrir des techniques modernes de communication. Ce week-end, nous vous conseillons de venir en famille à la Cité des sciences, l'entrée est gratuite !

▷ Piste n° 34, exercice 4, page 127

Dialogue 1
– Bonjour, excusez-moi, où se trouve l'avenue des Peupliers s'il vous plaît ?
– C'est très simple, vous allez tout droit et au carrefour, vous tournez à gauche.
– Merci !

Dialogue 2
– Vous avez toujours enseigné le français ?
– Non, il y a quinze ans, je travaillais dans une banque. J'ai passé un master de français langue étrangère et j'ai quitté mon travail à la banque pour devenir professeur.
– Quel changement !

Dialogue 3
– Jeudi, je passe un entretien d'embauche !
– Alors, le jour de ton entretien, pense à bien t'habiller. Il faut que ton téléphone portable soit éteint ou en silencieux. Et n'oublie pas de parler lentement !
– Merci Ludo de me donner des conseils, ça me rassure !

Dialogue 4
– J'aimerais bien que les mentalités changent dans cette entreprise !
– Oui, tu as raison, ce serait bien que nos responsables nous écoutent un peu plus.
– Je voudrais qu'il y ait une réunion avec tout le personnel.
– Oui, ce serait tellement plus efficace !

texto

DOSSIER 1 S'engager

Leçon 1 ■ Bien sûr...

1 a 1 F – 2 V – 3 V – 4 F
b Coco : 4 / 5 – Nath : 1 / 3 / 4 – Brad : 2 – Kathy : 5
2 Un constat : a / e – Un projet : b / c / d / f
3 une tranche de pain – une brioche – gros – maigrir – un régime
4 a le jus d'orange – b la brioche – c la confiture – d le café – e le beurre
5 le surf : c – le foot : e – la natation : d – le tennis : a – le golf : b
6 aller : j'irai, tu iras, il/elle/on ira, nous irons, vous irez, ils/elles iront – être : je serai, tu seras, il/elle/on sera, nous serons, vous serez, ils/elles seront – avoir : j'aurai, tu auras, il/elle/on aura, nous aurons, vous aurez, ils/elles auront – pouvoir : je pourrai, tu pourras, il/elle/on pourra, nous pourrons, vous pourrez, ils/elles pourront
7 a jouerai / irai – b prendras / marcheras – c achèterons / ferons – d étudierez / verrons – e arrêteront / viendront – f s'inscrira / maigrira
8 a inscris / rencontreras – b irons / avons – c fais / maigrirai – d pourrons / voulez
9 *Exemple de production possible :*
Bob – Étudiant – 23 janvier 2014
Salut Coco !
Moi, je ne joue pas au tennis et je ne fais pas de jogging. Mais je fais de l'aïkido, de la voile et du golf. Tu es intéressée ?
10 *Exemple de production possible :*
Nom : Baumont   Prénom : Antoine
Adresse mail : a.baumont@gmail.com
Où partirez-vous l'été prochain ? En France.
Que ferez-vous ? J'irai à Paris et je visiterai le musée du Louvre. Je marcherai sur l'avenue des Champs-Élysées. Je monterai en haut de la tour Eiffel. Je mangerai des escargots au restaurant. J'irai aussi à Bordeaux pour boire du vin et je ferai du surf au bord de la mer. J'irai à Nantes et je rencontrerai les familles Bonomi et Le Tallec.
11 *Réponse libre.*
12

	a	b	c	d	e
[s] comme dans *ski*	2	3	3	2	3
[z] comme dans *douze*	2	0	0	2	2

Leçon 2 ■ Votre santé

1 a F – b V – c F – d V – e V
2 b – c – d – e
3 a 4 – b 3 – c 2 – d 1
4 *1re ligne :* des céréales / du lait / un fruit / un café –
2e ligne : une tranche de pain / un produit laitier / un jus de fruit / un thé
5 *Intrus :* a changer la forme – b faire de la musique – c être mauvais
6 changer – bouger – éviter – ne pas oublier
7 amuse-toi / amusez-vous – arrête-toi / arrêtez-vous – inscris-toi / inscrivez-vous – prépare-toi / préparez-vous – promène-toi / promenez-vous
8 a Ne prends pas la voiture. – b Ne mange pas de confiture. – c N'arrêtez pas le sport. – d Ne buvez pas d'alcool.

9 a Je dois acheter un bateau. – b Tu dois demander conseil au médecin. – c Il doit aller dans un club de gym. – d Nous devons prendre le vélo. – e Vous devez boire beaucoup d'eau. – f Ils doivent pratiquer une activité physique.
10 buvez – bois – boit – boivent – bois – buvons
11 *Exemple de production possible :*
Bouger, c'est la santé !
Vous n'aimez pas le sport ? Pas de problème ! On peut pratiquer une activité physique tous les jours sans être sportif. Comment ? C'est très simple : allez acheter votre pain à vélo et accompagnez vos enfants à l'école à pied. Bien sûr, il faut oublier l'ascenseur et prendre l'escalier, et pour les propriétaires de chiens, il faut faire de grandes sorties. Les chiens adorent ça ! Enfin, vous devez profiter du soleil pour jardiner et faire des balades en famille le week-end. Vous voyez : bougez, c'est facile !
12 *Exemples de réponses possibles :*
a – Je ne peux pas m'endormir le soir et je suis vraiment fatigué. Qu'est-ce que je peux faire ?
– Ne regarde pas la télé le soir : lis un bon livre ou écoute de la musique douce. Il faut aussi faire une activité physique comme la natation, le vélo ou la marche à pied. Et tu ne dois pas manger beaucoup le soir...
– Oh ! là, là ! Ce n'est pas amusant !
b – Je suis trop gros... Mon médecin me dit de perdre du poids, mais comment faire ?
– Pour commencer, fais un régime et surtout mange équilibré.
– C'est tout ?
– Non ! Tu dois bouger ! Ne reste pas devant la télé ! Profite du beau temps pour jardiner et fais un peu de sport...
– Mais je n'aime pas le sport !
– Fais un peu de vélo ou de la marche à pied, c'est facile et très bon pour la santé. Il faut aussi boire beaucoup d'eau.
c – J'ai souvent mal à la tête. Je ne sais pas quoi faire...
– Tu dois te reposer un peu... Il faut faire une petite sieste...
– Mais je n'ai pas le temps de dormir l'après-midi.
– Voilà le problème : tu travailles trop ! Oublie l'ordinateur et les dossiers du bureau.
– Tu crois ?
– Bien sûr ! Tu dois aussi t'amuser avec tes amis et passer du bon temps !
13 *Exemples de réponses possibles :* a pour être en forme / pour maigrir. – b pour bien commencer la journée. – c pour être en bonne santé. – d pour ne pas grossir.
14 [s] : b / c / e / f – [z] : a / d

Leçon 3 ■ S'investir

1 a 2 – b Faux (parce qu'elle a vu une jeune femme dans le métro demander à manger) – c 3
2 a Juliette est une bénévole de l'association « Les petits frères des Pauvres ». – b Denise n'est plus seule. – c 2
3 *Mauvaises raisons :* a – c – f
4 *Intrus :* investir – associer
5 1 bénévolat – 2 responsabilité – 3 investissement – 4 engagement – 5 utilité – 6 citoyenneté – 7 association – 8 aide
6 bénévolat – utile – rôle social – vous engager – association – responsable

7 Cause : a / d / e – But : b / c

8

	Cause	But
a	*Parce qu'on veut avoir de l'expérience.*	Pour avoir de l'expérience.
b	Parce qu'il faut se rendre utile.	Pour se rendre utile.
c	Parce qu'on veut connaître des personnes engagées.	Pour connaître des personnes engagées.
d	Parce qu'on est citoyen.	Pour être citoyen.
e	Parce qu'on aime aider les autres.	Pour aider les autres.

9 a Être bénévole, c'est donner et c'est aussi recevoir. – b Je m'investis dans le bénévolat une fois par semaine. – c Pour moi c'est un vrai plaisir d'aider les autres. – d S'engager dans une association, c'est un acte citoyen.

10 *Exemples de réponses possibles :* a parce qu'elle veut se sentir utile. / pour aider d'autres personnes. – b parce qu'il pense que c'est important. / pour discuter avec elles. / c parce qu'elle me permet de rencontrer beaucoup de gens. / pour mon futur métier.

11 *Exemple de production possible (annonce b) :*
Bonjour,
Je voudrais être bénévole dans votre association parce que je veux être utile. Je pense que dans la vie, il ne faut pas seulement penser à soi. Il faut aider les autres. C'est important d'être solidaire. Je suis étudiant et j'ai un peu de temps. Je peux rendre visite à des personnes âgées deux après-midi par semaine.
Cordialement,
Thomas

12 *Exemple de production possible :* Une association à caractère social recherche un(e) bénévole pour faire du soutien scolaire. Il / Elle devra s'engager à aider 5 ou 6 enfants à faire leurs devoirs deux soirs par semaine.

13 a Il peut prépar**er** les re**pa**s. – b Avoir un rôle so**cial**, c'est impor**tant**. – c Ils donnent des **cours** de soutien sco**lai**re. – d Elle veut s'inves**tir** dans une associa**tion**.

Bilan

1 a 2 – b 3 – c Fahima : s'investir dans une association / Blaise : faire attention à santé – d 1 – e s'investir dans une association : se sentir utile, s'engager, avoir un rôle social / faire attention à sa santé : se sentir fatigué, se trouver un peu gros

2 *Exemple de production possible :*
Madame, Monsieur,
Je voudrais être bénévole dans votre association parce que je veux m'investir et aider les enfants malades. Se sentir utile et avoir un rôle social, c'est important.
Cordialement,
Fahima

3 a 2 – b Parce qu'il y a un programme alimentaire personnalisé. – c En téléphonant à Vanessa.

4 a 2 – b 3 – c Faux (parce qu'il est près de chez lui) – d 3

5 a Il faut manger équilibré. / Vous mangerez équilibré. – b Il faut faire du vélo. / Vous ferez du vélo. – c Il faut boire de l'eau. / Vous boirez de l'eau.

DOSSIER 2 Voyager

Leçon 5 ■ Sympa ce site !

1 a 3 – b 1 – c Parce que sa connexion Internet est mauvaise. – d 2 – e Vrai

2 1 d – 2 i – 3 e – 4 g – 5 c – 6 f – 7 a – 8 b – 9 h

3

☑ Homme ☐ Femme
☐ De 15 à 20 ans ☑ De 20 à 45 ans ☐ De 45 à 60 ans

	souvent	parfois	jamais
Écoute de la musique :	☑	☐	☐
Prend des photos :	☐	☑	☐
Filme :	☐	☑	☐

	oui	non	
A Internet sur son téléphone :	☑	☐	

	souvent	parfois	jamais
Surfe sur son téléphone :	☐	☑	☐

☐ Homme ☑ Femme
☐ De 15 à 20 ans ☐ De 20 à 45 ans ☑ De 45 à 60 ans

	souvent	parfois	jamais
Écoute de la musique :	☐	☐	☑
Prend des photos :	☐	☑	☐
Filme :	☐	☐	☑

	oui	non	
A Internet sur son téléphone :	☐	☑	

	souvent	parfois	jamais
Surfe sur son téléphone :	☐	☐	☐

4

```
R C O N N E X I O N
E I D C S A E N R S
U T T L N V P T M U
O R D I N A T E U R
I R H Q O L E R R F
L U A U A I Z N L E
S I T E B D S E N R
W K E R U E F T R I
V U D J H R U P G L
T A P E R E N N O C
```

5 ordinateur – connexion Internet – chatter – Tapez – site – page d'accueil – Cliquez – Complétez – validez

6 Une action en train de se passer : c – Une habitude ou un état : b / d / e – Le futur : a / f

7 a connaissez – b choisissent – c dites – d comprennent – e sais – f attends

8 a Pierre travaille depuis 13 ans. – b Isa achète sur Internet depuis 4 ans. – c Je voyage depuis 7 ans. – d Les enfants vont à l'école depuis 5 ans. – e Claude fait du sport depuis 16 ans. – f Clara parle depuis 2 ans.

9 *Exemples de réponses possibles :*
Mme Deschamps ne prend jamais la voiture, elle prend toujours le bus et parfois le métro.
Pendant la semaine, M. Deschamps déjeune souvent au restaurant, parfois à la cafétéria, mais il ne déjeune jamais à la maison. Pendant la semaine, Mme Deschamps ne déjeune jamais à la cafétéria. Elle déjeune souvent à la maison et parfois au restaurant.
M. Deschamps travaille souvent le soir, parfois le samedi, mais jamais le dimanche. Mme Deschamps ne travaille jamais le soir, mais souvent le samedi et parfois le dimanche.

À la maison, M. Deschamps lit souvent le journal, parfois un livre, mais il n'écoute jamais la radio. À la maison, Mme Deschamps écoute souvent la radio, lit parfois un livre, mais ne lit jamais le journal.

10 *Exemples de réponses possibles :* Je cherche souvent des informations sur Google. J'achète parfois un billet d'avion sur Internet. Je ne vais jamais sur des sites de rencontres.

11 [i] : a / d – [y] : b / c / e

12

	a	b	c	d	e	f
[i] comme dans *site, clic*	1	3	4	4	2	3
[y] comme dans *tu, vu*	2	0	2	2	1	0

Leçon 6 ■ À louer

1 a V – b V – c F – d V – e F – f F – g V – h V

2 *Exemple de plan possible :*

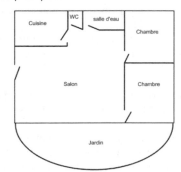

3 a 3 – b 5 – c 4 – d 1 – e 2

4

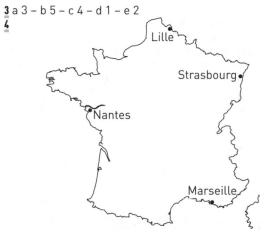

5

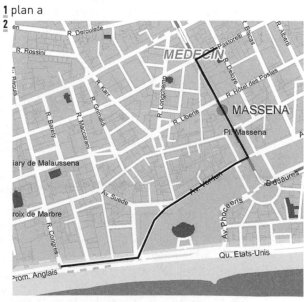

6 louer – pièces – étage – ascenseur – salon – ouest – chambres – toilettes – Cuisine – immeuble

7 a Manger : la cuisine, le salon. – b Dormir : la chambre, le salon. – c Se laver : la salle de bains, la salle d'eau. – d Regarder la télé : le salon, la chambre.

8 a que – b qui – c que – d qui – e qui

9 a Je cherche une maison sur le site Internet que tu m'as conseillé. – b Il loue un appartement qui est au dernier étage. – c C'est un petit immeuble qui n'a pas d'ascenseur. – d Nous habitons dans un appartement que nous avons acheté l'année dernière.

10 a Maintenant, j'ai un meilleur salaire, j'habite dans un appartement plus grand qui est plus proche du centre-ville. – b Maintenant, nous avons moins d'argent, nous vivons moins bien, nous allons moins souvent au restaurant et nous voyageons moins. – c Maintenant, cette maison est en meilleur état, la salle de bains est plus grande, le salon est plus lumineux et nous nous sentons mieux.

11 a Nous avons un appartement avec autant de pièces et une aussi belle vue. – b Je travaille autant et je me sens aussi bien. – c Elle a autant d'amis et elle voyage aussi souvent.

12 *Exemple de production possible :* À louer : appartement 2 pièces, grand salon clair et lumineux, 1 chambre. Cuisine équipée, salle de bains et WC. Petit balcon. Proche du centre-ville et de la mer, 300 € la semaine – 06 12 23 78 60

13 *Exemple de production possible :* L'appartement a est aussi grand que l'appartement b. Il a plus de chambres mais elles sont plus petites. Le salon de l'appartement a est plus petit, mais la salle de bains est plus grande. Dans l'appartement b, la salle de bains et les WC sont séparés. La cuisine de l'appartement a est aussi grande que celle de l'appartement b. Je préfère l'appartement b parce que la salle de bains et les WC sont séparés et que les chambres sont plus grandes.

14 *Intrus :* a que – b immeuble – c Denis

15 *Intrus :* a jus – b bus – c vue

Leçon 7 ■ Le plus cher !

1 plan a

2

3 a – d – g – h – j – k
4 a tourner à gauche – b traverser – c tourner à droite – d continuer jusqu'à – e prendre
5

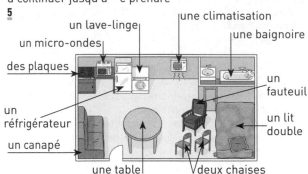

un lave-linge
un micro-ondes
des plaques
une climatisation
une baignoire
un réfrigérateur
un fauteuil
un lit double
un canapé
une table
deux chaises

6 a Bien sûr ! – b Tout à fait ! – c Absolument !
7 a la moins – b le plus d' – c le plus – d le moins – e les plus
8 La meilleure – les meilleurs – le meilleur – le mieux
9 a le moins de – b le plus – c la moins – d le plus d' – e la plus – f le plus
10 *Exemple de production possible :* Quand vous êtes devant le musée Masséna, vous prenez la rue de France à gauche et vous allez jusqu'à la rue Cronstadt. Là, vous tournez à droite et vous allez tout droit jusqu'au boulevard Victor Hugo. Vous traversez le jardin Alsace Lorraine et vous arrivez rue Kosma. J'habite au n° 16. À demain !
11 *Exemple de production possible :* J'hésitais entre le F2 et le F3, et finalement j'ai choisi le F2. Pour moi, c'est le mieux ! C'est le plus petit mais il y a assez de place pour deux personnes. C'est l'appartement qui a la cuisine la moins équipée mais pendant les vacances, je ne cuisine pas beaucoup ! Il y a aussi un lave-linge : c'est l'équipement le plus pratique. Le F2 n'a pas la plus grande terrasse, mais je vais aller à la plage tous les jours ! Bien sûr, le prix est important : c'est le moins cher ! Tu es le (la) bienvenu(e) à Nice !
12 [y] : a / e – [u] : b / c / d / f

Bilan

1 a 3 – b Faux (ils partent avec leurs enfants) – c Cécile ne connait pas très bien Pierre. / Elle préfère aller au soleil. / Ils seront plus tranquilles. / Il y aura la mer. – d 3
2

Ville : Nice
Dates de vacances : du 31 mars au 13 avril
Nombre de personnes : 4 Nombre de chambres : 1 ou 2
Appartement : ☑ oui ☐ non Maison : ☐ oui ☑ non
Cuisine équipée : ☑ oui ☐ non
Options : lave-vaisselle : ☐ oui ☐ non
lave-linge : ☑ oui ☐ non
Salle de bains : ☐ oui ☐ non Salle d'eau : ☐ oui ☐ non
Nombre de lits : 1 lit(s) double(s) ou 1 canapé-lit pour 2 personne(s) + 2 lit(s) simple(s)
Balcon : ☐ oui ☐ non Terrasse : ☐ oui ☐ non
Parking : ☐ oui ☐ non
À proximité de : ☑ centre-ville ☑ bord de mer ☐ commerces
Options : ☐ Internet ☐ Wi-Fi
Prix à la semaine : le moins cher possible

3 a : + : parking, Internet ; – : trop cher. Cette annonce ne peut pas intéresser les Garnier : c'est le plus cher ; il n'y a pas deux lits indépendants ; il n'y a pas de lave-linge.
b : + : pas cher, pas loin de la plage, Wi-Fi ; – : 5e étage sans ascenseur. Cette annonce peut intéresser les Garnier : cuisine équipée ; lave-linge ; canapé-lit + 2 lits.
c : + : pas cher ; – : loin de la plage. Cette annonce peut intéresser les Garnier : cuisine équipée ; lave-linge ; c'est le moins cher ; 1 lit double et 2 lits simples.
4 *Exemple de production possible :*
Cécile : Roger, tu as regardé les annonces que propose Valérie ?
Roger : Oui, je pense que le F3 près de la gare est idéal.
Cécile : Ah bon ? Mais c'est le plus loin de la plage ! Pour les enfants, ce n'est pas pratique.
Roger : Mais c'est le plus grand.
Cécile : Oui, mais le deux-pièces est plus près de la mer.
Roger : Tu parles de l'appartement qui est au 5e étage sans ascenseur ?
Cécile : Oui, oui… Il n'y a pas d'ascenseur, mais il est aussi bien équipé que le F3.
Roger : Pas vraiment. Je préfère dormir dans un vrai lit ! Et dans le F2, la cuisine est plus petite. En plus, le F3 est moins cher. Pour moi, c'est le meilleur rapport qualité-prix.
Cécile : D'accord, on choisit le F3, mais téléphone à l'agence pour vérifier la distance entre l'appartement et la mer.
Roger : Pas de problème ! Je téléphone tout de suite.
5 a Annonce c : 3 pièces près de la gare, 400 euros la semaine, à 10 minutes de la mer. – b Où est l'arrêt de bus ? Il est loin de l'immeuble ?
6 *Exemple de production possible :*
Monsieur,
Nous allons peut-être louer votre appartement du 31 mars au 13 avril. L'agence immobilière nous a donné votre e-mail parce que nous voulons avoir une information : l'appartement est à 10 minutes en bus de la mer, mais où se trouve l'arrêt de bus ? Est-il proche de l'immeuble ? Nous avons deux jeunes enfants et nous voulons aller rapidement à la mer.
Cordialement,
Roger et Cécile Garnier

Faits et gestes / Culture

Dossiers 1 et 2

1 a 3 – b 1 et 2 – c 2
2 b : du café, du lait, un croissant, des tartines avec de la confiture.
3 *Réponse libre.*
4 a Bonne chance ! – b Je ne suis pas idiote !
5 a Ça y est ! – b Zut ! – c Pardon. – d Bien sûr !
6 1932 – de cinéma – réalisateur – scénariste – Baisers volés
7 *Réponses possibles :* décors réels, réalisme, observation de la vie quotidienne, études de caractères.
8 a V – b F – c V – d F – e F – f V
9 a

DOSSIER 3 Raconter

Leçon 9 ■ C'était étonnant !

1 b

2 a 2 – b À Nice, dans la rue. – c Non – d 2 – e C'était fantastique. / C'était une belle journée.

3 Décrire une situation dans le passé : a / c / f – Faire une description : d / e – Faire un commentaire sur un événement passé : b / g

4 1 extraordinaire – 2 fantastique – 3 étonnant – 4 génial – 5 surprenant – 6 magique

5 a 4 – b 2 – c 1 – d 3

6 a marionnettes / géants – b bruit / musique

7 a je parlais – b il choisissait – c nous allions – d tu étais – e vous saviez – f ils prenaient – g vous faisiez – h je sortais – i il buvait – j ils venaient – k tu dormais – l nous finissions

8 a me promenais – b avait / faisait – c sortaient / attendaient / buvaient – d jouait – e dansait – f avaient – g était

9 a Nous avons marché dans les rues animées. – b Elle a pris des photos des géants. – c Ils ont choisi le spectacle de marionnettes. – d J'ai vu un éléphant de toutes les couleurs. – e Vous avez entendu un bruit dans la rue. – f Je me suis assis(e) pour regarder le spectacle. – g Tu as raconté ton rêve incroyable.

10 *Exemple de production possible :*
FATIMA : C'était un spectacle fantastique pour toute la famille ! Il y avait des artistes de plusieurs pays qui présentaient des numéros originaux. Les éléphants étaient très amusants. Les enfants riaient beaucoup. Les artistes portaient des costumes colorés et un orchestre jouait de la musique. Nous étions bien installés et nous pouvions prendre de belles photos. L'ambiance était magique !
NICOLAS : C'était un spectacle très banal. Nous connaissions déjà les numéros des artistes qui ne faisaient pas d'effort pour plaire au public. Ils ne souriaient pas beaucoup. Leurs costumes très colorés étaient moches. Les enfants avaient peur des animaux qui avançaient sur la piste et criaient. Il y avait beaucoup de bruit et la musique était trop forte. En plus, il faisait très chaud.

11 *Exemple de production possible :* C'était un samedi après-midi, au mois d'août. Il y avait un grand concert de musique dans un parc. Il faisait beau, le ciel était bleu et le soleil brillait. Des gens se promenaient ou s'installaient sur l'herbe pour écouter les musiciens qui jouaient avec passion. Nous étions tous les deux au milieu des spectateurs. Nous écoutions le concert...

12 *Exemples de réponses possibles :*
a Avant mon mariage, je sortais avec des amis, je faisais la fête tous les week-ends, je fumais, je voyageais à l'étranger, je travaillais beaucoup, je buvais beaucoup de café, je jouais avec mon chat, je ne regardais pas la télévision, je ne cuisinais pas, je ne mangeais pas bien, je ne faisais pas de sport...
b Avant, je travaillais, je gagnais bien ma vie, j'habitais dans une belle maison, j'avais une voiture de sport, je portais de beaux vêtements, j'étais marié, j'avais un chien, je jouais de la guitare avec mes amis, je partais en vacances chaque été, j'étais sportif, je ne buvais pas de vin...
c Avant, je me levais très tôt, je travaillais toute la journée, je voyageais beaucoup, je répondais aux questions des journalistes, je portais de belles robes, je faisais attention à mon alimentation, je dansais, j'étais très connue...

13 a 4 – b 4 – c 5 – d 7 – e 6 – f 2 – g 3

Leçon 10 ■ Camille Claudel

1 a F – b V – c F – d V – e F – f V

2 a 1 V / 2 F / 3 V – b F – c F – d V

3 1 c – 2 f – 3 g – 4 d – 5 e – 6 b – 7 a – 8 h – 9 i

4 a peintre – b sculpteur – c écrivain

5 a 2 – b 3 – c 2 – d 1

6 a folle – b paranoïaque – c paranoïa / s'enferme / folie – d hôpital psychiatrique

7 a est née – b a commencé – c a pris – d est venue / est entrée – e est devenue / s'est installée

8 a Avant de s'inscrire dans cette école privée, ils sont allés à l'université. – b Avant de partir vivre à Marseille, elle a habité à Nice. – c Avant de commencer à écrire, j'ai fait de la peinture. – d Avant de réaliser de grandes sculptures, il a loué un atelier.

9 a Après leur départ de Nice, ils ont travaillé à Rennes. – b Après leur retour en France, elles ont commencé à prendre des cours. – c Après son inscription à l'université, elle a voulu arrêter ses études. – d Après son entrée en première année de littérature comparée, il a décidé de devenir écrivain.

10 *Exemple de production possible :* Pablo est né le 30 décembre 1980 en France. À l'âge de 15 ans, il a commencé à travailler pour payer ses cours de peinture. Après son bac, il a étudié dans une école privée. Puis, en 1999, il est allé à l'École des beaux-arts de Barcelone. Un an plus tard, il a eu sa première exposition. Avant de revenir en France, il a fait de la sculpture pendant deux mois dans l'atelier d'un artiste espagnol. Maintenant, il habite dans le Sud de la France et vient de vendre une œuvre à un touriste japonais.

11 *Exemple de production possible :* a J'ai toujours aimé la peinture mais j'ai vraiment commencé à peindre à l'âge de 10 ans. – b Non, j'ai appris tout seul, mais plus tard je suis allé dans une école d'art. – c Non, j'ai aussi fait de la sculpture. – d Je peins chez moi dans mon salon. – e Oui, je viens de vendre une œuvre à un artiste japonais.

12 *Réponse libre.*

13 a Un an après, il s'est installé à Paris.
b Ils ont eu deux autres enfants.
c Ils ont vécu deux ans dans un hôtel.
d Elle s'est enfermée dans son atelier.
e Trois ans plus tard, elle est entrée dans un hôpital psychiatrique.
f Cette année-là, elle a réalisé des œuvres très originales.

Leçon 11 ■ Changement de vie

1 a seformer.fr – b deux jours – c 3 / 5 – d une formation

2 a Au salon de la formation professionnelle. Parce qu'elle a décidé de changer de voie. – b 3 – c 2 – d 1 Faux / 2 Vrai / 3 Vrai – e C'est une formation de professeur d'anglais qui dure 8 mois aux États-Unis.

3 a 3 – b 1 – c 2

4 *Intrus :* travailler dans la carrière – étudier une formation – écouter des études

5 1 situation – 2 voie – 3 carrière

6 Rapporter des événements passés dans un ordre chronologique : c / e (temps : passé composé) – Exprimer un changement : b / g (temps : passé composé) – Décrire une situation : a / f (temps : imparfait) – Décrire un sentiment : d / h (temps : imparfait)

7 a ai travaillé / n'aimais pas / ai changé de voie – b a fini / a suivi / était – c nous sommes rencontrés / étions / adorions – d était / n'aimait pas / a décidé

8 a il y a / pendant – b pendant / il y a – c il y a / pendant – d pendant / il y a

9 *Exemple de production possible (Laurent) :* J'ai eu mon diplôme d'ingénieur en 1994. Ensuite, j'ai fait un stage dans une entreprise pendant six mois. En avril 1995, je suis parti aux États-Unis. J'ai travaillé à New York : j'aimais mon travail et j'étais très heureux. En 1998, j'ai rencontré Héloïse. Elle était professeure de français. Nous nous sommes mariés. Nous sommes rentrés en France en 2000. J'ai travaillé dans une entreprise pendant huit ans. Mon travail n'était pas intéressant et je n'étais pas content. J'ai décidé de changer de voie et en 2008 j'ai fait une formation de photographe. Maintenant, je suis photographe pour un magazine.

10 *Exemple de production possible (Latifa) :*
– Qu'est-ce que vous avez étudié ?
– J'ai étudié le droit.
– En quelle année avez-vous eu votre diplôme ?
– Je l'ai eu en 2000.
– Qu'est-ce que vous avez fait après ?
– J'ai travaillé dans l'immobilier à Paris. J'aimais beaucoup mon travail, j'étais heureuse. Puis j'ai rencontré mon mari, Vincent, et nous avons déménagé à Nantes. Nous avons eu notre premier enfant en 2006 et notre deuxième enfant en 2007.
– Pourquoi avez-vous décidé de changer de voie ?
– Parce que je n'étais pas contente, mon travail dans l'immobilier ne m'intéressait plus.
– Qu'est-ce que vous avez fait comme formation ?
– J'ai fait une formation d'infirmière et j'ai eu mon diplôme en 2012.
– Qu'est-ce que vous faites maintenant ?
– Je suis infirmière dans un hôpital à Nantes.

11 a J'ai été étudiant dans cette université.
b Quel est votre parcours professionnel et universitaire ?
c J'ai eu mon diplôme au Canada.
d Elle a étudié le français comme une langue étrangère.
e Il a appris l'arabe en Arabie saoudite.
f Elle est partie travailler en Asie.

Bilan

1 a F – b V – c F – d V – e V – f F – g V
2 a 1 les Géants de papier / 2 Philomène Gaspari / 3 du 01/02 au 30/03/2014 (2 mois) – b des sculptures d'animaux en papier – c 3 – d Oui : « un monde coloré et magique » / « un vrai bonheur » / « le monde fantastique de Philomène »
3 *Exemple de production possible :*
ANNABELLE : Alors, tu es allé voir l'exposition de Philomène ?
JULES : Bien sûr ! C'était génial !
ANNABELLE : Il y avait beaucoup de monde ?
JULES : Oh, oui ! L'ambiance était agréable, il y avait de la musique, mais les gens faisaient du bruit ! Dommage !
ANNABELLE : Qu'est-ce que tu as vu exactement ?
JULES : J'ai pu admirer des créations très originales de l'artiste qui a trouvé son inspiration pendant son voyage en Afrique. Il y avait des animaux géants très colorés !

ANNABELLE : Étonnant !
JULES : Oui, J'étais dans un rêve ! J'ai adoré ! Mais l'œuvre la plus drôle était *La Danse de l'éléphant rose*. Philomène a travaillé pendant cinq ans pour préparer cette exposition.
ANNABELLE : Et tu as rencontré ton artiste adorée ?
JULES : Oui ! Et elle a accepté un rendez-vous pour une interview !
ANNABELLE : Fantastique ! Maintenant, tu dois bien préparer tes questions !

4 Études en Belgique : 1992-1997 – Travail à Londres : 1997-2004 – Mariage : 2004 – Naissance de son enfant : 2005 – Cours de sculpture : 2005-2007 – Installation à Paris : 2008
5 *Exemple de production possible :*
a Je suis née en 1974 à Bruxelles. Mon père était avocat et, pour son travail, nous avons beaucoup voyagé avec ma famille.
b J'ai étudié le commerce international dans une grande école en Belgique et puis j'ai travaillé dans ce domaine à Londres pendant sept ans, dans plusieurs grandes entreprises internationales.
c J'ai rencontré mon mari, Marcello Gaspari, qui est artiste peintre. Nous avons eu un enfant et là j'ai décidé de réaliser mon rêve : faire de la sculpture. J'ai suivi des cours pendant deux ans dans une école d'art à Rome.
d Nous nous sommes installés à Paris il y a six ans, dans un petit atelier à Montmartre.
e J'ai voyagé en Afrique pendant un an. J'ai vu des paysages extraordinaires, des couleurs magiques, des animaux fantastiques ! Je suis revenue avec beaucoup d'idées pour créer mes œuvres.

DOSSIER 4 S'exprimer

Leçon 13 ■ Ouais, c'est ça...

1 c – e – d – a – b
2 Personne 1 : 21 ans / licence de lettres / lire, aller au cinéma, retrouver des amis dans un café et discuter / le sport – Personne 2 : 23 ans / master de socio / le sport (le foot, la natation, le vélo) et lire un bon livre / le cinéma et regarder la télévision
3 Une bonne nouvelle : c / f – Une mauvaise nouvelle : b / d – Pas de nouvelle : a / e
4 prendre le soleil – regarder un film / le foot – jouer au tennis / aux jeux vidéo – lire un livre / un journal – retrouver des amis
5 a Ils regardent le foot dans un bar. / Photo 3 – b Il joue aux jeux vidéo dans sa chambre. / Photo 4 – c Ils prennent le soleil à la terrasse d'un café. / Photo 1 – d Elle lit sous un arbre à la campagne. / Photo 2
6 a C'est super ! – b C'est ma tournée !
7 a Ce que – b Ce qui – c ce qui – d Ce que – e Ce que – f ce qui
8 a Ce que j'aime, c'est aller au cinéma. – b Ce que nous préférons, c'est la campagne. – c Ce qui est bien, c'est lire un livre au soleil. – d Ce qui est super, c'est jouer aux jeux vidéo. – e Ce que je veux, c'est le calme. – f Ce qui est agréable, c'est se reposer sous un arbre.
9 a viens de prendre – b viennent de sortir – c vient d'apprendre – d viens de rentrer – e venez de faire – f vient de recevoir

10 *Exemple de production possible :* Prénom : Julia – Nationalité : italienne – Âge : 24 ans – Profession : étudiante – Goûts : J'aime la campagne. J'adore lire un bon livre et prendre le soleil. Je n'aime pas le bruit de la ville. Ce que je préfère, c'est le calme. Je déteste regarder la télévision et les personnes qui jouent aux jeux vidéo.

11 *Réponse libre.*

12 *Exemples de réponses possibles :* a Nous venons de nous marier ! Nous sommes heureux. – b Théo vient de naître. Il est magnifique. – c Je viens d'avoir mon diplôme. C'est super ! – d Ton fils vient de tomber. Il est à l'hôpital.

13

	a	b	c	d	e	f
[ʃ] comme dans *chat*	1	2	1	1	2	1
[ʒ] comme dans *je*	3	3	2	1	2	2

Leçon 14 ■ Écologie

1 a C'est le fait de partager une voiture avec des gens pour faire le même voyage. – b 1 / 3 / 5 – c Faux : « Cette solution fonctionne en ville et à la campagne. » – d Il y a moins de circulation et donc moins de pollution. – e Les offres et les demandes de covoiturage, le prix du voyage.

2 Audrey : a / b / e – Isabelle : a / d – Olivier : c / d / e

3 les énergies renouvelables – la consommation – l'effet de serre – l'économie – la protection

4 a 5 – b 4 – c 2 – d 3 – e 1

5 b 3 : On diminue la consommation d'énergie grâce aux énergies renouvelables. – c 4 : Le climat se réchauffe parce qu'on consomme des énergies fossiles. – d 5 : On se mobilise pour la planète à cause du réchauffement climatique. – e 1 : On utilise les transports en commun grâce aux tarifs bas. – f 2 : On lutte contre la pollution parce qu'on économise de l'énergie.

6 a Les voitures rejettent des gaz à effet de serre, alors / donc / c'est pour ça qu'on doit utiliser les transports en commun. – b Le climat se réchauffe, alors / donc / c'est pour ça que nous devons nous mobiliser pour la planète. – c Les énergies fossiles polluent, alors / donc / c'est pour ça qu'on doit utiliser les énergies renouvelables. – d Les transports en commun sont une bonne solution, alors / donc / c'est pour ça qu'on doit laisser la voiture au garage. – e La protection de l'environnement est un devoir, alors / donc / c'est pour ça que les départements proposent des plans.

7 *Exemples de productions possibles :*

CHARLOTTE : Je fais attention à l'électricité. Par exemple, quand je quitte une pièce, j'éteins la lumière. Je prends souvent mon vélo pour les petits trajets quotidiens, c'est bon pour la santé et pour l'environnement ! L'eau est aussi importante pour notre planète. C'est pour ça que je prends des douches et pas de bains.

THOMAS : En général, je n'utilise pas beaucoup d'eau chaude. Pour me laver les mains, je préfère l'eau froide. J'économise de l'énergie et des euros ! Chez moi, je fais attention à la température. Il fait 19 °C. Si j'ai froid, je mets un gros pull. Quand je pars en vacances, je laisse ma voiture au garage. Je préfère voyager en train. C'est plus rapide que la voiture et c'est aussi une manière de protéger l'environnement.

8 *Exemples de réponses possibles :* a La terre manque d'eau à cause du réchauffement climatique. Nous devons

diminuer notre consommation d'énergies fossiles et utiliser des énergies renouvelables comme le soleil et le vent. Il faut aussi économiser l'eau dans notre vie quotidienne, quand on fait la vaisselle, quand on fait sa toilette ou quand on lave sa voiture. – b Les voitures rejettent dans l'air des gaz à effet de serre. L'air est pollué et la santé des gens est en danger. Il faut développer les transports en commun dans les villes mais aussi entre les petites villes. Le covoiturage est une bonne solution parce qu'il diminue le nombre de voitures sur la route. Il y a aussi la voiture électrique mais on utilise ce transport seulement dans les villes. – c Les villes consomment beaucoup d'énergie pour l'électricité et le chauffage. Dans les logements, dans les magasins et aussi dans les bureaux, les lumières restent allumées parfois toute la nuit. Il faut se mobiliser pour économiser l'énergie. On peut créer des logements basse consommation et développer l'utilisation des énergies renouvelables dans les bâtiments publics.

9 éner**g**ies – ré**ch**auffe – ré**ch**auffement – dan**g**er – **g**énéral – éner**g**ie – covoitura**g**e

Leçon 15 ■ Le loup

1 a jouer aux jeux vidéo / Contre – b prendre sa voiture tous les jours / Contre – c le retour des ours dans les Pyrénées / Pour – d l'ouverture d'un hôtel pour chats / Contre – e le développement du covoiturage / Pour – f un compte sur Facebook / Contre

2 Pour : Michèle / Garance / Guette / Maxime / Jean-Claude – Contre : Adriano / Dominique / Pierre

3 a le parc de la Vanoise – b le parc de la Guadeloupe – c le parc de Guyane – d le parc de la Vanoise

4 le chamois : e – la marmotte : b – le bouquetin : f – le mouton : a – l'ours : d – le loup : c – le cerf : h – la brebis : g

5 *Intrus :* a la vache – b l'insecte – c les moutons – d le poisson – e le cerf – f la faune

6 On parle de ces parcs nationaux dans les journaux parce qu'il y a des animaux rares.

7 est – peut – sert – est – cohabite – a

8 a 4 – b 5 – c 1 – d 3 – e 2

9 a Les bergers ne les aiment pas. (les loups) – b Les loups les attaquent souvent. (les moutons / les brebis) – c Les touristes aiment le visiter. (le parc) – d Il ne la prend pas souvent pour préserver la nature. (la voiture)

10 *Exemple de production possible :* b Je pense que ce n'est pas juste d'avoir un gros chien en ville. C'est un animal qui a besoin d'espace pour courir. – c Je trouve que c'est bien d'utiliser une voiture électrique, ça pollue moins la planète.

11 *Exemple de production possible :* Moi aussi, je suis contre le retour du loup. Je pense que c'est un animal dangereux pour les hommes et pour les animaux. Je trouve que le travail des bergers est très dur et que ce n'est pas juste pour eux de voir leurs brebis et leurs moutons mourir à cause de cet animal sauvage.

12 [s] : a / b / e – [ʃ] : f – [z] : c – [ʒ] : d

Bilan

1 a Faux – b 1 : Valentin et Elia / 2 : Céline – c 2 – d Faire des promenades dans la nature et découvrir la faune et la flore. Voir des loups. – e Vrai – f Parce que Céline trouve que les plantes et les animaux, c'est ennuyeux. Elle préfère la mer, le soleil et les touristes.

2 a Un tourisme écologique. / Dans un gîte écologique. – b Dans le parc national du Mercantour. – c Lutter contre la pollution de la planète et s'engager dans la protection de l'environnement.

3 a Faux / Parce qu'il ne respecte pas la nature : il a laissé un sac plastique et une bouteille. – b Faux – c 3 – d Parce qu'il n'a rien dit.

4 *Exemple de production possible :* Nous passons un week-end génial grâce aux conseils du propriétaire du gîte. La nature est magnifique, nous nous promenons beaucoup et nous voyons des animaux extraordinaires : des cerfs, des bouquetins et même un ours ! Nous trouvons qu'il est important de protéger cette nature. C'est pour ça qu'il faut préférer les week-ends écologiques ! Bises.

5 1 e – 2 j – 3 g – 4 b – 5 i – 6 h – 7 m – 8 l – 9 c – 10 n – 11 k – 12 f – 13 o – 14 d – 15 a

Faits et gestes / Culture

Dossiers 3 et 4

1 *Exemples de réponses possibles :* les tasses sont différentes, il y a des cuillers à dessert (et pas à café), il n'y a pas de fruits...

2 a Chut. – b C'est très bon.

3 a – c – d – e – g – h

4 a Excusez-moi. – b Je vous en prie. – c S'il vous plaît. – d Excusez-moi.

5 a J'aime pas ça. / C'est nul. / C'est ennuyeux. – b Mon œil ! / C'est pas vrai.

6 a 2 – b 2 – c 2

7 *Intrus :* a le silence – b la lecture – c petit

8 *Exemple de production possible :* Le café de Flore se trouve à Saint-Germain-des-Prés, à Paris. Il existe depuis 1887. Il est très célèbre encore aujourd'hui. Il a été fréquenté par les intellectuels et les artistes...

9 *Exemples de réponses possibles :* Le nombre de personnes, les vêtements, les hommes portaient des chapeaux... Sur la première photo, les hommes étaient assis derrière...

DOSSIER 5 Travailler

Leçon 17 ■ Nous vous rappellerons

1 a 3 – b 3 – c de l'argent – d Faux – e une amie de sa mère

2 a 2 – b 4 – c 5 – d 3 – e 1

3 1 e – 2 b – 3 a – 4 h – 5 c – 6 f – 7 g – 8 d

4 une simulation – jouer la situation – te moque – as l'air – stupide – lourd – gentil – naturel

5 job – CV – entretien d'embauche – poste – saisonnier

6 a Il passe l'aspirateur. – b Elle a / Elle passe un entretien d'embauche.

7 l' – les – leur – leur – l' – l' – lui – la – lui

8 a 1 – b 2 – c 2 – d 3 – e 1 – f 3

9 a couramment – b doucement – c lentement – d facilement – e parfaitement

10 *Exemple de production possible :*

L'HOMME : Bonjour mademoiselle, je vous en prie, asseyez-vous.

LA FEMME : Nous avons regardé votre CV. Vous avez déjà travaillé comme vendeuse ?

LA JEUNE FEMME : J'ai travaillé dans un magasin qui vendait des aspirateurs.

LA FEMME : Oui, mais nous ne vendons pas des aspirateurs.

LA JEUNE FEMME : Oui, je sais, mais je pense qu'une bonne vendeuse peut tout vendre.

L'HOMME : Vous écrivez que vous parlez couramment anglais. Où avez-vous appris ?

LA JEUNE FEMME : J'ai habité en Angleterre quand j'étais petite.

LA FEMME : Bien, merci. Nous vous rappellerons.

11 *Exemple de production possible :*

– Qu'est-ce que tu penses de cette robe bleue ?

– Non, ça ne va pas du tout. Elle est trop formelle. Tu vas vendre des aspirateurs, pas des parfums.

– Arrête de te moquer de moi. Tu ne m'aides pas.

– Tu dois avoir l'air naturel. Mets des vêtements décontractés, un pantalon ou une jupe sombre et des chaussures à talons.

– Comme ça ?

– C'est parfait !

12 *Exemple de production possible :* Je voulais absolument avoir ce travail de serveur dans le bar à côté de chez moi. Alors, pour bien me préparer à l'entretien, j'ai demandé à mes amis de m'aider et j'ai joué la situation devant eux. Au début, ils se sont un peu moqués de moi parce que je portais des vêtements trop formels. Ils m'ont conseillé de mettre des vêtements plus décontractés et ils m'ont dit de parler plus lentement. J'ai suivi leurs conseils et maintenant je travaille comme serveur !

13 [p] : a / c / d / f – [b] : b / e

14

	a	b	c	d	e	f
[p] comme dans *poste*	1	4	2	0	3	4
[b] comme dans *boulot*	3	0	1	3	2	0

Leçon 18 ■ L'entretien

1 a Lire le message plusieurs fois et le faire lire à une autre personne. – b Par une formule de politesse, puis le prénom et le nom. – c De l'entreprise, de ses motivations, de ses compétences et de ses qualités. – d Pour être sûr que la mise en page ne changera pas et que le recruteur pourra l'ouvrir.

2 Formation : 2011 Professeur de français / 2010 Master d'histoire – Expérience professionnelle : 2010-2012 Vendeuse dans un magasin de vêtements – Langues : Anglais courant / Allemand courant / Espagnol scolaire – Centres d'intérêt : Sport

3 chercher / trouver un emploi / un job – une lettre de motivation – un entretien d'embauche – un emploi / un job saisonnier

4 chômeur – emploi – compétences – poste – CV – lettre de motivation – recruteurs – entreprises – entretien d'embauche – candidat

5 a Il faut sourire / être souriant(e). – b Il ne faut pas croiser les bras. – c Il faut donner une poignée de main ferme. –

d Il ne faut pas croiser les jambes. – e Il faut s'asseoir correctement, le dos droit. – f Il faut avoir une coiffure soignée.

6 b – d – f – g – i

7 a Laisse-moi parler. – b Aide(z)-le. – c Téléphone-lui. – d Achetez-la. – e Lis-les.

8 Venir : ils/elles viennent / nous venions, vous veniez / que je vienne, que tu viennes, qu'il/elle/on vienne, que nous venions, que vous veniez, qu'ils/elles viennent – Prendre : ils/elles prennent / nous prenions, vous preniez / que je prenne, que tu prennes, qu'il/elle/on prenne, que nous prenions, que vous preniez, qu'ils/elles prennent – Étudier : ils/elles étudient / nous étudiions, vous étudiiez / que j'étudie, que tu étudies, qu'il/elle/on étudie, que nous étudiions, que vous étudiiez, qu'ils/elles étudient – Choisir : ils/elles choisissent / nous choisissions, vous choisissiez / que je choisisse, que tu choisisses, qu'il/elle/on choisisse, que nous choisissions, que vous choisissiez, qu'ils/elles choisissent

9 *Voir transcription p. 138.*

10 *Exemple de production possible :* Bonjour Sophie, je vais bien, je te remercie. Pour travailler en Italie, il faut d'abord que tu fasses la traduction de ton CV en italien. C'est très important. Tu parles très bien italien, ce ne sera pas un problème pour toi. Ensuite, inscris-toi à l'Ufficio di Collocamento Manodopera, c'est comme le Pôle emploi français. Quant tu seras inscrite comme demandeur d'emploi, tu pourras consulter toutes les offres d'emplois. Attention : pour travailler en Italie plus de trois mois, il faut que tu aies une autorisation. Il y a 500 entreprises françaises en Italie : envoie-leur ton CV. Tu peux trouver la liste de ces entreprises sur le site de la Chambre de commerce et d'industrie d'Italie. J'espère que ces conseils pourront t'aider ! Et envoie-moi ton CV, je le donnerai au recruteur de mon entreprise. Bises

11 *Exemples de réponses possibles :* a Il faut que vous fassiez une formation. / Il faut que vous envoyiez votre CV par mail, c'est plus rapide. – b Il faut que vous montriez votre savoir-vivre. / Il faut que vous soyez souriante et polie. – c Il faut que vous fassiez la liste de vos emplois. / Il faut que vous parliez de votre formation. – d Il faut que vous portiez des vêtements plus formels. / Il ne faut pas que vous soyez négligé.

12 [f] : a / b / e – [v] : c / d / f

13

	a	b	c	d	e	f
[f] comme dans *fin*	1	0	2	0	1	2
[v] comme dans *avant*	2	5	2	5	2	0

Leçon 19 ■ Égalité !

1 Anne : b / d / g / h – Laurent : a / c / e / f

2 Opinion positive : personne 1 – Opinion négative : personnes 2 et 4 – Sans opinion : personnes 3 et 5

3 1 parité – 2 comportement – 3 salaire – 4 mentalités – 5 changer – 6 combattre – 7 écart – 8 tâche – 9 ménagère – 10 partage

4 En France, le ministère des Droits des femmes prend des **mesures** pour combattre les **inégalités** entre les hommes et les femmes. Les mentalités et les **comportements changent**. On note encore **un écart** de salaire parce que les femmes **gagnent** environ 20 % de moins que les hommes. À la **maison**, elles consacrent plus de temps que les hommes aux **tâches ménagères**. Mais chez les jeunes couples, **le partage** des activités domestiques est normal. Il faut continuer à faire des **efforts** pour obtenir une réelle **parité**.

5 est – peux – preniez – dois – écrive – as – veulent – souviennes

6 *Voir transcription p. 139.*

7 a voudrions – b voudraient – c voudrais – d voudrais – e voudriez

8 *Exemples de réponses possibles :* a Je suis d'accord. Je pense que les femmes et les hommes peuvent faire les mêmes métiers. Je crois qu'ils ont les mêmes compétences intellectuelles mais ce qui est sûr, c'est qu'ils n'ont pas les mêmes compétences physiques. – b Je ne suis pas d'accord ! Je trouve que les femmes ont des qualités différentes et qu'elles sont très fortes pour diriger une équipe. Je pense qu'elles peuvent être autoritaires si c'est nécessaire et qu'elles savent aussi être douces. – c Ce n'est pas vrai. Je crois que les hommes sont sensibles, mais beaucoup d'hommes ne veulent pas le montrer. – d C'est faux ! Je pense que les hommes savent s'occuper des enfants : ils les emmènent à l'école, ils font du sport avec eux... Mais ce qui est sûr, c'est que ce sont les femmes qui passent le plus de temps avec les enfants. – e Je ne suis pas d'accord ! Je crois que les femmes ont le droit de travailler et d'avoir une vie sociale comme les hommes. Je trouve que les hommes ont aussi un rôle important dans l'éducation des enfants. Il faut partager les responsabilités.

9 *Exemples de réponses possibles :* a J'aimerais que les hommes apprennent à cuisiner pour préparer les repas. – b Ce serait bien qu'il y ait plus de femmes à la direction d'entreprises. – c Ce serait bien que les hommes et les femmes fassent les tâches ménagères ensemble. – d Il faudrait que les hommes aient du temps pour s'occuper des enfants.

10 [p] : a / d / g – [b] : e – [f] : c – [v] : b / f

11 a Travailler à ce **p**oste est **v**raiment **f**atigant. – b **P**endant l'entretien d'em**b**auche, il ne **f**aut **p**as **p**arler trop **v**ite. – c **B**éa et **P**aul **v**ont trouver un jo**b f**acilement. – d **V**alérie **B**eau**p**ont est une **f**emme **p**olitique im**p**ortante et in**f**luente. – e En **F**rance, les hommes **p**artici**p**ent **p**lus aux tâches domestiques qu'a**v**ant. – f **B**ernard et sa **f**emme **V**irginie **v**iennent de trouver un **p**oste en A**f**rique.

Bilan

1 a 1 – b 2 – c Vrai – d 2 – e 3

2 1 e – 2 g – 3 c – 4 d – 5 h – 6 b – 7 a – 8 f

3 *Exemples de réponses possibles :* Il faut que tu mettes que tu as étudié l'espagnol. – Il ne faut pas que tu oublies de dire que tu le parles couramment. – Je trouve que tu devrais dire que tu restes à la maison pour t'occuper de la maison. – Ne mets pas ta photo : je pense que ce n'est plus nécessaire.

4 *Exemple de production possible :*

SIMON : Bon, alors, comment je vais m'habiller pour l'entretien ? Tu as une idée ?

NAÏMA : Il ne faut pas mettre de vêtements négligés, mais il faut aussi éviter les vêtements trop formels... Et il faut que tu sois à l'aise.

SIMON : J'aimerais mettre mon pull rouge avec mes baskets noires...

NAÏMA : Tu es fou !

SIMON : Mais non, ne t'inquiète pas ! C'est pour rire.

NAÏMA : Prends la veste grise, avec une chemise blanche et une cravate bleue, ça ira parfaitement.

SIMON : Et mes belles chaussures noires... Quoi d'autre ?

NAÏMA : Il faudrait que tu ailles chez le coiffeur. Tu dois avoir une coiffure soignée.

SIMON : Oh, là, là !

NAÏMA : Et pendant l'entretien, il faut que tu restes calme, que tu sois souriant et que tu parles tranquillement. Ne croise pas tes bras comme d'habitude.

SIMON : Bon, eh bien, je vais me préparer parce que je fais être en retard !

NAÏMA : Ah oui, il ne faut pas que tu arrives en retard ! Pense aussi à vérifier le trajet.

SIMON : C'est fait !

NAÏMA : Je suis sûre que tout va parfaitement se passer. Tu es le meilleur !

SIMON : Je t'appellerai après l'entretien...

NAÏMA : Ah ! N'oublie pas d'éteindre ton téléphone quand tu seras avec le recruteur !

5 *Exemple de production possible :*

LE RECRUTEUR : Bonjour monsieur Bernard, asseyez-vous.

SIMON : Bonjour madame.

LE RECRUTEUR : Vous avez une licence de management international, c'est ça ?

SIMON : Non, un master. Je l'ai eu en 2000.

LE RECRUTEUR : Parlez-moi de votre expérience professionnelle.

SIMON : J'ai d'abord été sous-directeur d'un hôtel pendant quatre ans. Ensuite j'ai eu un poste de directeur jusqu'en 2008. J'avais beaucoup de responsabilités.

LE RECRUTEUR : Et qu'avez-vous fait depuis 2008 ?

SIMON : Je suis resté à la maison pour m'occuper de mon fils.

LE RECRUTEUR : Pourquoi ?

SIMON : Je trouve que c'est important qu'un parent ne travaille pas quand les enfants sont petits.

LE RECRUTEUR : Pourquoi vous et pas votre femme ?

SIMON : Parce ce que ma femme a un très bon poste et elle gagnait plus que moi. Et puis, la parité, c'est important : ce serait bien qu'il y ait plus d'hommes qui restent à la maison pour s'occuper des enfants et des tâches ménagères.

LE RECRUTEUR : Pourquoi voulez-vous recommencer à travailler ?

SIMON : Parce que mon fils est grand maintenant. Je voudrais qu'il sache que les hommes aussi peuvent travailler.

LE RECRUTEUR : Merci. On vous rappellera.

DOSSIER 6 Vivre

Leçon 21 ■ Et la salle de bains ?

1 a : n° 5 / salle de bains → lumineuse, belle baignoire – b : n° 3 / bureau → calme, avec un bureau et des étagères – c : n° 1 / salon → grand, donne sur le jardin, avec cheminée – d : n° 2 / cuisine → bien rangée, beaucoup de vaisselle – e : n° 4 / chambre → confortable, grand placard

2 a 3 E + G – b 1 C + F + H + I – c 2 A + B + D + I

3 colocataire – désordre – ranger – murs – installer – faire le ménage – placard – cheminée

4 a une étagère – b des photos – c un canapé – d un bureau – e des couverts – f des verres – g des assiettes – h un tapis

5 J'y ai beaucoup de souvenirs parce que quand j'étais petite, j'y passais toutes mes vacances. J'y jouais en toute liberté. J'aimais y découvrir de vieux objets. Mais je n'y suis jamais restée seule la nuit parce que j'avais peur !

6 a Oui, j'y vais demain. – b Non, elle n'y habite pas. – c Oui, je vais y rester tard. – d Oui, je veux y mettre des livres.

7 a C'est une grande pièce où il y a trois fenêtres. – b C'est un petit studio où je ne peux pas mettre de canapé. – c C'est une salle de bains confortable où on a installé une baignoire. – d C'est un appartement sympa où la décoration est moderne.

8 a Une chambre : c'est un lieu où on dort. – b Une cuisine : c'est un lieu où on prépare les repas et où on mange. – c Un bureau : c'est la pièce où on travaille. – d Un salon : c'est un lieu où on peut recevoir des amis / où on regarde la télévision.

9 *Exemple de production possible :* Je cherche un(e) colocataire à partir du mois prochain pour partager un grand appartement de 75 m², avec un salon, une cuisine bien équipée, deux chambres et deux salles d'eau. La chambre que je loue fait 15 m². C'est une pièce où il y a beaucoup de soleil et qui est très confortable. Il y a un lit, un placard pour ranger les vêtements, des étagères pour les livres et un bureau. La chambre donne sur un petit jardin. C'est une pièce très calme où on dort bien. La salle d'eau est juste à côté. L'appartement est bien rangé et on s'y sent bien. La cuisine est assez grande, on peut y manger à 4 personnes. Vous êtes intéressé ? Téléphonez-moi au 06 45 58 30 70 !

10 *Exemple de production possible :* Ma ville préférée : ma ville natale ! C'est une petite ville qui se trouve dans l'ouest de la France, où le climat est très agréable. On y voit de nombreux jardins. C'est une ville où il y a beaucoup d'étudiants et où on peut faire la fête tous les jours. Les touristes y vont pour visiter des endroits magnifiques. On y mange de très bons légumes et on y boit du bon vin. Mon endroit préféré dans la ville où j'habite : un jardin. C'est un jardin où il y a des grands arbres et qui donne sur les plus beaux monuments de la ville. J'aime y aller pour lire un bon livre ou pique-niquer avec des amis, en été. Les gens y font du sport ou s'y promènent avec les enfants. C'est un jardin merveilleux où on n'entend pas le bruit des voitures. Ma pièce préférée : la cuisine. C'est la pièce où je passe le plus de temps parce que j'adore cuisiner. C'est la pièce où on prend le petit déjeuner en famille le dimanche matin. J'y reçois aussi mes amis pour prendre un café et partager un bon moment. C'est une pièce où il y a beaucoup de soleil et où les gens se sentent bien.

11 [R] au début du mot : d – [R] au milieu du mot : a / f – [R] à la fin du mot : b / c / e

Leçon 22 ■ Citoyens

1 a La Déclaration universelle des droits de l'homme. – b Des droits de la femme. – c Elle a écrit la déclaration des Droits de la femme et de la citoyenne. – d 1 de l'homme en 1789 / 2 de la femme en 1791 / 3 de l'animal en 1978

2 1 c – 2 e – 3 g – 4 f – 5 d – 6 a – 7 b
3 a 3 – b 7 – c 1 – d 6 – e 5 – f 4 – g 2
4 a libres / égaux / droits / fraternité – b êtres / droits / distinction / couleur / sexe / langue / religion – c propriété / éducation
5 a stressé – b zen – c râleur – d calme – e content – f indiscipliné – g pressé
6 a quelques – b Tous – c Chaque – d Toutes – e Tout
7 Tout le monde a participé à cette B.D. / a le droit à un logement. – Toute la journée / la semaine on parlera de ce sujet / il me parle de ça / elle travaille. – Toute son école a participé à cette B.D. – Tous les jours on parlera de ce sujet / il me parle de ça / elle travaille. – Tous les enfants du monde ont droit à l'éducation. – Toutes ces associations sont à Marseille.
8 a Tous les êtres humains naissent libres et égaux en droits. – b Chaque personne a droit à la propriété. – c Tout le monde a le droit d'avoir sa religion. – d Toutes les personnes ont les mêmes droits. – e Voici quelques articles qui parlent de l'éducation.
9 *Exemple de production possible :*
Coucou Sylvie,
J'ai un nouveau travail et je vais quitter Paris pour venir vivre à Nice. Je suis vraiment très contente. Paris est une très belle ville mais les Parisiens sont toujours pressés, stressés, et ils sont souvent de mauvaise humeur dans le métro. J'ai remarqué qu'ils ne sont jamais contents. Ce sont des râleurs. Et en plus, ils sont très indisciplinés. Ils traversent les rues sans attendre que les feux passent au rouge. Moi, j'ai grandi dans un petit village où tout le monde est très zen. Dans le Sud de la France, les gens sont beaucoup plus calmes. Paris a été une belle expérience mais je suis très heureuse de partir. J'espère que tu viendras me voir.
Bisou,
Isabelle
10 *Exemples de productions possibles :*
Le poisson : ARTICLE 1 : Tous les poissons ont les mêmes droits sans distinction de couleur, de sexe ou de race. ARTICLE 2 : Tous les poissons rouges doivent pouvoir avoir assez d'espace pour nager librement. ARTICLE 3 : Chaque poisson rouge a droit à une eau propre dans son aquarium.
Le chien : ARTICLE 1 : Tous les chiens ont les mêmes droits sans distinction de couleur, de sexe ou de race. ARTICLE 2 : Tous les chiens qui naissent dans une ville doivent pouvoir sortir chaque jour au minimum une fois le matin et une fois le soir. ARTICLE 3 : Chaque chien a droit à une alimentation équilibrée.
Le chat : ARTICLE 1 : Tous les chats ont les mêmes droits sans distinction de couleur, de sexe ou de race. ARTICLE 2 : Tous les chats qui naissent dans la rue ont droit à l'amour d'un être humain. ARTICLE 3 : Chaque chat peut décider s'il veut ou non avoir des petits.
11 *Réponse libre.*
12 J'entends [j] : a / c / d / f – Je n'entends pas [j] : b / e
13

	a	b	c	d
[j] comme dans *travailler*	2	2	3	2
[ʒ] comme dans *je*	1	1	1	1

15 Les **j**eunes Parisiens ne sont pas toujours souriants.

Leçon 23 ■ Projet d'urbanisme

1 a les jeux pour les enfants, par exemple le mur d'escalade / Pour – b l'interdiction des voitures / Contre – c les petites îles / Pour – d les jardins, les plantations / Pour – e les chaises longues / Pour – f les bateaux / Contre
2 a De l'aménagement du Parc des Chantiers à Nantes. – b Parce que le parc est aménagé sur l'ancien chantier de construction de bateaux. – c On peut se promener à pied ou à vélo. Les enfants peuvent jouer dans quatre jardins. On peut prendre le soleil dans des chaises longues sur une plage. On peut voir des événements culturels, par exemple les spectacles de la compagnie de théâtre Le Royal de Luxe.
3 *Intrus :* a un mur – b un citoyen – c être malheureux
4 a 3 – b 1 – c 4 – d 2
5 aménagement – projet – espaces – opportunités – délirant – se régaler – en profiter – équipements – évoluer – évolution – chantier
6 C'était un **gamin**, un **gosse** de Paris, sa seule famille était sa mère.
7 a Il y a des jardins et des chaises longues. – b Le projet est un peu délirant mais il va se produire. – c On sait que le chantier commence en 2015 mais on ne sait pas quand il sera livré. – d C'est un endroit où les adultes et (où) les enfants se régalent. – e Il y aura de nouveaux espaces mais pas de nouveaux équipements.
8 a tout / sujet – b toutes / complément – c tous / complément – d Toutes / sujet – e tout / complément
9 a Je les achète toutes. – b Tout est parfait dans ce projet. / Dans ce projet, tout est parfait. – c Tous seront là l'été prochain. / L'été prochain, tous seront là. – d Il les veut tous. – e Tout est possible dans cette ville. / Dans cette ville, tout est possible.
10 *Exemple de production possible :* Le projet Rives Nouvelles propose de redonner sa place à la nature dans l'aménagement urbain. Il y aura des espaces de promenade et de jeux pour les enfants sur la berge. Grâce à des petits ponts, les Angevins pourront aller sur une île aménagée où ils pourront profiter des jardins avec des plantations qui seront évolutives : elles seront différentes tous les ans. Sur l'île, il y aura des chaises longues où les Angevins pourront prendre le soleil. Et surtout, il y aura des bateaux de croisière et des bateaux restaurants amarrés à l'île.
11 *Exemple de production possible :*
LE JOURNALISTE : Quels sont les grands aménagements du projet Rives Nouvelles ?
LE MAIRE : Il y aura des espaces pour se promener à pied ou à vélo, mais pas en voiture. Une île sera aménagée avec des jardins. Des bateaux pourront être amarrés au bord de l'île.
LE JOURNALISTE : Qui en profitera le plus ?
LE MAIRE : Ce sera un endroit pour tout le monde. Il y aura des opportunités pour les adultes, par exemple des chaises longues pour prendre le soleil ou des bateaux restaurants. Mais, surtout, on a voulu que les enfants se régalent : il y aura des jeux, des lieux pour faire du sport.
LE JOURNALISTE : Quelques personnes disent que c'est un projet délirant, que leur répondez-vous ?
LE MAIRE : C'est vrai, c'est un projet un peu délirant, mais ça va se produire. Et puis surtout, ce sera un projet évolutif : les Angevins amèneront des idées.

12 [ʀ] : b / d / f – [l] : a / c / e

13 a C'est un très beau projet d'urbanisme. – b C'est un lieu superbe qui va ouvrir prochainement. – c C'est complètement incroyable ! – d C'est vraiment délirant ! – e Il y aura des plantes vertes. – f Laure Bernard s'est régalée dans ce bateau restaurant.

Bilan

1 a 1 – b 3 – c 2 / 4 / 6 – d 2 – e 2

2 *Exemples de réponses possibles :* a Je trouve que les Parisiens s'énervent facilement. On dit que tous les hommes doivent agir dans un esprit de fraternité, mais les automobilistes râlent toujours contre les piétons. – b Je pense que les Parisiens sont toujours tristes. Dans le métro, par exemple, ils ne sourient pas. Ils ne parlent pas. Ils ne se regardent pas. – c Les Parisiens sont toujours très pressés. Ils courent toujours, mais je crois qu'ils ne savent pas pourquoi ils courent. – d Les Parisiens sont souvent de mauvaise humeur. Cohabiter avec des millions de personnes les énervent peut-être... – e Les Parisiens vivent dans des appartements très petits. La cuisine est un placard.

3 a 1 V / 2 V / 3 F / 4 V / 5 F – b 1 / 3 / 6 / 7 / 9

4 1 a – 2 f – 3 d – 4 h – 5 g – 6 e – 7 b – 8 c – 9 i

5 ARTICLE 1 : Tous les locataires doivent payer leur loyer le 1er de chaque mois.
ARTICLE 2 : Chaque locataire doit pouvoir montrer qu'il a une assurance.
Exemples de réponses possibles :
ARTICLE 3 : Les locataires n'ont pas le droit d'avoir un animal domestique dans leur chambre.
ARTICLE 4 : Chaque locataire a le droit de prendre seulement une douche par jour.

Faits et gestes / Culture

Dossiers 5 et 6

1 c – d

2 a – b – d – e – f – g

3 a Silence ! – b Debout ! – c Dehors !

4 Bien sûr. – Ouais, bof. – Peut-être. – Cool.

5 a 2 – b 2

6 a 4 et 5 – b 1 – c 2 et 3

7 a Nice, « vue sur la Méditerranée » – b Paris, « bord de Seine » – c Nantes, « proche Loire » – d Nice, « derrière le Negresco et très près de la promenade »

DOSSIER 7 Consommer

Leçon 25 ■ C'est pas possible !

1 a Cuisine en fête – b 2 / 4 / 5 / 6

2 a : dialogue n° 3 – b : dialogue n° 2 – c : dialogue n° 4 – d : dialogue n° 1

3 Les accessoires de cuisine : b / i – L'électroménager : a / d / g – La vaisselle : c / e – Les couverts : f / h / j

4 L'esthétique de l'objet : 1 sympa / 2 original / 5 design / 6 actuel – La qualité de l'objet : 3 électronique / 4 programmable / 7 pratique / 8 électrique

5 a C'est une assiette ronde. – b C'est une assiette carrée. – c C'est un verre carré. – d C'est un verre rond.

6 a Lequel est en plastique ? – b Lesquels vous préférez ? – c Laquelle est la plus sympa ? – d Lequel est électrique ? – e Lesquelles sont les plus connues ?

7 a lequel – b lesquelles – c laquelle – d lesquels – e lesquels

8 a celui-ci ou celui-là ? – b celles-ci ou celles-là ? – c celle-ci ou celle-là ? – d ceux-ci ou ceux-là ? – e celui-ci ou celui-là ?

9 ces – celles-ci – celles-là – ceux-ci – ceux-là – ces

10 *Exemple de production possible :*
– Bonjour, je peux vous aider ?
– Oui, je cherche un robot ménager.
– Nous avons ce modèle, basique. Il est en plastique. Il est très simple à utiliser. Et nous avons celui-ci, en métal, très design. Sa forme est très actuelle.
– Oui, sa forme est originale et très sympa. Lequel est le plus facile à utiliser ?
– Celui-là.
– Et lequel est le moins cher ?
– Celui-ci, il est à 30 euros.
– Et celui-là, il est à combien ?
– Il est à 99 euros.
– Il est cher ! Je vais prendre celui à 30 euros.

11 *Exemples de réponses possibles :* a C'est un modèle de luxe, électrique. Il est en plastique et de forme ronde. – b C'est un modèle très design, de forme actuelle. Il est en métal. – c C'est un modèle basique, de forme carrée. Il est en plastique. – d C'est un modèle simple mais très pratique grâce à sa forme de carafe. Il est en verre et en plastique.

12 *Réponse libre.*

13 [Ẽ] ([ɛ̃] ou [œ̃]) : d – [ɔ̃] : a / f – [ã] : b / c / e

14

	a	b	c	d	e	f
[ɔ̃] comme dans *rond*	0	1	1	0	1	2
[ã] comme dans *orange*	3	1	2	2	3	1

Leçon 26 ■ Pub magazine

1 Appareil photo : a / d – Traducteur : c / e – Téléphone : b – Alarme : f

2 Personne 1 : téléphoner / utiliser l'horloge – Personne 2 : envoyer des SMS ou des MMS / prendre des photos – Personne 3 : consulter l'agenda / utiliser le GPS – Personne 4 : téléphoner / utiliser le traducteur intégré – Personne 5 : aller sur les réseaux sociaux / envoyer des SMS ou des MMS

3

A	P	P	A	R	E	I	L	P	H	O	T	O
P	F	I	E	L	N	O	U	R	S	T	R	M
P	A	S	M	S	R	N	V	O	I	X	A	E
L	C	E	S	I	E	E	G	A	S	E	D	G
I	C	I	M	A	G	E	R	C	O	R	U	A
C	O	L	O	M	I	X	E	L	N	A	C	P
A	R	B	N	A	S	C	E	V	E	T	T	I
T	F	O	N	C	T	I	O	N	M	E	E	X
I	I	Z	U	R	R	A	T	E	T	X	U	E
O	X	O	B	J	E	C	T	I	F	T	R	L
N	S	M	M	S	R	E	A	S	I	E	R	S

4 fonctionnalités – appareil photo – mégapixels – image – sons – enregistrer – traducteur – SMS – oral

5 a en voyant – b en traduisant – c en lisant – d en écrivant – e en prenant – f en choisissant

6 a changer – b présenter – c enregistrer – d animer – e développer – f répéter – g masser – h laver

7 a On a fait un classement des objets par couleur. – b On a un chauffage écologique. – c On a une limitation sur le plan technologique. – d On a un bon équipement pour communiquer. – e On aime les innovations parce qu'on veut surprendre les gens. – f On propose un accompagnement aux clients pendant leurs achats.

8 *Exemple de production possible :* Une fonctionnalité qui roule ! Vous aimez conduire mais vous détestez garer votre voiture ? Voici la solution qui va vous changer la vie. Nous avons maintenant l'application pour la voiture qui se gare toute seule. Cette innovation permettra de garer sa voiture sans difficulté, en marche avant ou en marche arrière. Elle offre même des informations sur le nombre de places disponibles sur 500 mètres à partir du lieu où on se trouve.

9 *Exemple de production possible :*
– On m'a proposé un smartphone mais je crois que je vais garder mon téléphone.
– Mais pourquoi ? Un smartphone va te changer la vie ! Tout sera plus facile !
– Mais je ne passe pas mon temps à téléphoner ou à envoyer des SMS, et j'ai un ordinateur pour envoyer des e-mails, alors je ne vois pas bien l'avantage d'un smartphone.
– Tu devrais dire les avantages ! Il y a beaucoup d'applications qui t'aident dans la vie quotidienne : tu peux avoir le plan des bus de la ville, les horaires des trains, tu peux acheter des places de cinéma…
– Mais je peux faire tout ça sans smartphone…
– Tu peux aussi télécharger des explications sur les musées…
– Bon, d'accord, c'est vrai qu'il y a des applications intéressantes…
– Bien sûr ! Et grâce à la fonction « traducteur intégré », tu peux avoir la traduction des messages de ton (ta) chéri(e). Finies les barrières de la langue !
– Ah bon ? Alors dans ce cas-là, je vais laisser mon vieux téléphone ! Mais quel smartphone tu me conseilles ?…

10 *Réponse libre.*

11

	exemple	a	b	c	d	e
féminin	2	2	1	1	2	1
masculin	1	1	2	2	1	2

Leçon 27 ■ Pub radio

1 a 2 – b 2 – c Acheter une tablette tactile. – d Phil : parce qu'il y a un magasin à côté de chez lui qui fait des super prix. – e 3

2 a Pour les enfants à partir de 8 ans. – b 85 € – c Donner le code promo 78521. – d Opinion positive : Léa / Opinion négative : Pierre, Catherine, Fred

3 1 scanner – 2 ultrabook – 3 tactile – 4 processeur – 5 écran – 6 ordinateur – 7 imprimante – 8 portable

4 promotion – réduction – au lieu de

5 a 4 – b 6 – c 5 – d 2 – e 1 – f 7 – g 3

6 a Véro – b Isa – c Léo – d Flo – e Phil – f Caro

7 a Oui, j'en ai un. – b Non, je n'en ai pas. – c Non, il n'y en a pas. – d Je n'en pense rien. – e Elle en a deux.

8 *Exemple de production possible :*
Je viens d'acheter un ultrabook qui vient de sortir chez Asus. Il est équipé d'un processeur Intel® Core™ de 4e génération et j'en suis vraiment super content(e). Il est incroyablement rapide. En plus, j'adore son design. Il était en promotion et comme je suis étudiant(e), le magasin m'a fait une petite réduction supplémentaire : je l'ai payé 610 € au lieu de 690 €. Il a également un écran tactile. Je pensais que ce n'était pas très utile. En fait, maintenant, je m'en sers tout le temps et je ne peux plus m'en passer ! Si vous devez acheter un nouvel ordinateur portable, je vous conseille ce modèle !

9 *Exemple de production possible :*
Le client : Bonjour, vous pouvez m'aider ?
Le vendeur : Bien sûr !
Le client : Je voudrais acheter un cadeau pour mon petit-fils.
Le vendeur : Quel âge a votre petit-fils ?
Le client : Oh, il est grand ! Il vient d'entrer à l'université. Je voudrais lui offrir quelque chose pour l'aider dans ses études.
Le vendeur : Est-ce qu'il a un ordinateur ?
Le client : Il en a un, bien sûr, mais il est déjà un peu vieux.
Le vendeur : Regardez cet ordinateur de bureau. C'est un modèle qui vient de sortir avec un écran tactile.
Le client : Un écran tactile ? C'est vraiment utile sur un ordinateur de bureau ? Qu'est-ce que vous avez comme portable ?
Le vendeur : Un portable, c'est peut-être une meilleure idée effectivement pour un étudiant. Je peux vous proposer celui-ci.
Le client : Je le trouve un peu lourd. Vous n'avez rien de plus léger ?
Le vendeur : Si, bien sûr. Il y a celui-là. C'est un ultrabook, mais ce n'est pas le même prix.
Le client : Le prix n'est pas important, car je veux vraiment lui faire plaisir. C'est mon seul petit-fils !
Le vendeur : Alors je vous conseille ce modèle d'Asus !
Le client : Asus, c'est une bonne marque. On m'en a parlé. Alors d'accord, je le prends.

10 *Exemple de production possible :*
– Allô, bonjour. C'est vous qui avez mis une petite annonce sur *Le Bon Coin* pour un ordinateur ?
– Oui, c'est moi.
– Il marche bien ?
– Oui, bien sûr.
– Pourquoi vous le vendez ?
– Parce que je n'ai pas beaucoup de place chez moi. Je voudrais m'acheter un portable.
– Ça m'intéresse. Je vous prends votre ordinateur avec votre écran pour 100 euros.
– Ah non, je suis désolé(e). C'est déjà un super prix ! Je viens juste de baisser le prix et de le mettre à 100 euros au lieu de 120 parce que je suis un peu pressé(e). Vous savez, en plus, il est équipé d'un processeur Intel Core 2 Duo et il y a Windows 7 Pro et Office 2010.
– Bon d'accord. Je vous le prends. Je peux passer le prendre demain ?
– Pas de problème ! Je vous envoie mon adresse par SMS. À demain !

11 a 4 – b 5 – c 4 – d 4 – e 6 – f 5

Bilan

1 a Faux – b 2 – c 1 / 4 – d 2 – e 3 – f 2

2 1 d – 2 h – 3 b – 4 l – 5 c – 6 e – 7 f – 8 j – 9 g – 10 k – 11 a – 12 i

3 *Exemple de production possible :*
– Lequel a un écran tactile ?
– Celui-ci.
– Lequel est doté d'un appareil photo ?
– Les deux, mais celui-ci a un appareil photo de 13 méga-pixels et celui-là de 5 mégapixels. Celui-ci offre aussi une fonction intéressante avec son double objectif.
– Lequel peut faire des vidéos ?
– Celui-ci. Ah, celui-là aussi.
– Et lequel propose une fonctionnalité pour traduire ?
– Celui-ci. Il traduit les mails et les SMS.

4 *Exemple de production possible :*
Vous cherchez un cadeau pour la fête des Pères ? Vous l'avez trouvé ! Avec ce smartphone facile à utiliser et très design, papa sera heureux ! Il a toutes les caractéristiques et les fonctionnalités des meilleurs smartphones :
– un écran tactile ;
– un appareil photo avec double objectif et enregistreur de sons ;
– un traducteur instantané du texte ou de la voix en plusieurs langues ;
– et de nombreuses applications et fonctionnalités (GPS, facebook, twitter...).
Et tout ça pour seulement 99 € au lieu de 150 € !

5 *Exemple de production possible :*
WANDA : Alors Isa, pour la pub radio du smartphone, on fait comme pour l'Asus du mois dernier ? On commence par le prix ?
ISABELLE : Oh, non, je pensais à une intro différente comme « Pour la fête des Pères, oubliez la cravate ! Offrez-lui le top des smartphones ! »
WANDA : Super ! Et après ?
ISABELLE : On continue en parlant des caractéristiques techniques.
WANDA : Bon, mais on ne les présente pas toutes, on n'aura pas le temps, la pub doit durer 20 secondes.
ISABELLE : Bien sûr, alors on commence par l'écran tactile ?
WANDA : Oui, il est très sympa, je l'ai testé.
ISABELLE : Et le Bluetooth ?
WANDA : Non, tous les appareils l'ont, comme le Wi-Fi. Mais un traducteur intégré, ça, c'est original et pratique !
ISABELLE : Oui, c'est sûr ! Et les 13 mégapixels, c'est incroyable ! Les papas vont adorer !
WANDA : Oui, en terminant par cette caractéristique et en annonçant le prix de 99 €, on a notre pub !
ISABELLE : C'est parfait ! On écrit le texte et on le présente à monsieur Delasange.

DOSSIER 8 Discuter

Leçon 29 ■ La culture pour tous

1 🙁 : e / f – 😐 : b / d – 🙂 : a / c

2 a 3 – b 3 – c Faux – d Lisa n'a pas aimé. / Damien a aimé. / Hélène a aimé. – e Lisa la trouve froide ; Damien la trouve chouette et marrante ; Hélène la trouve poétique. – f 1

3 art contemporain – exposition – tableaux

4 a : marrant / 5 – b : poétique / 6 – c : moche / 4 – d : amusant / 1 – e : beau / 2 – f : froid / 3

5

Mots ou expressions familiers	Mots ou expressions courants
nul – nulle	pas bien – ennuyeux
le fric / un fric fou	l'argent / beaucoup d'argent
tu rigoles	tu plaisantes
le boulot	le travail
intello	intellectuel

6 a Non, je ne comprends rien à ce tableau. / Non, je n'y comprends rien. – b Non, il ne va plus à son cours de peinture. / Non, il n'y va plus. – c Non, elle ne retournera jamais au musée d'art contemporain. / Non, elle n'y retournera jamais. – d Non, il n'y avait personne. – e Non, je n'achèterai rien à cet artiste. / Non, je ne lui achèterai rien.

7 a Son père ne comprend rien à l'art contemporain. – b Il ne va jamais dans des galeries. – c Cette exposition n'intéresse personne. – d Ses tableaux ne se vendent plus.

8 travail – choses ennuyeuses – intellectuel – d'argent – beaucoup d'argent – plaisantes

9 *Exemple de production possible :*
Aujourd'hui, j'ai visité le musée d'Art moderne du Centre Pompidou et, juste après, je suis allé(e) voir la fontaine de Niki de Saint Phalle. Quand on arrive, ces sculptures colorées surprennent un peu. Je ne sais pas ce que l'artiste a voulu dire. Pour moi, l'art contemporain n'est pas toujours facile à comprendre. Je suis resté(e) un moment près de la fontaine pour regarder les sculptures bouger. Je ne les trouve pas vraiment belles mais elles sont chouettes, très marrantes et très poétiques.

10 *Exemple de production possible :*
Coucou Sandra,
J'ai bien eu ton message mais, tu sais, j'ai pas trop envie d'aller voir cette expo. Ça me semble trop intello pour moi et je crois que je vais trouver ça ennuyeux. J'aime vraiment pas l'art contemporain. Pour moi, c'est pas de l'art. Je sais pas comment tu peux trouver ça poétique ! Je vais presque jamais dans les musées alors en plus pour voir de l'art contemporain ! Tu préfères pas qu'on aille au cinéma à la place ?
Bises.

11 *Exemples de réponses possibles :* a L'art contemporain, j'y comprends rien. Vous pouvez m'expliquer ce que vous trouvez de beau dans cette sculpture ? Quand on pense à l'argent qu'on donne pour ça ! – b C'est vraiment super ! – c Je ne sais pas quoi dire. Je ne comprends rien à l'art contemporain. – d Nous, on fait des études d'art, alors l'art contemporain, on adore ! On comprend pas que les gens aiment pas ça. Cette sculpture, elle est magnifique ! – e L'art contemporain, c'est pas trop mon truc en général, mais j'aime bien cette sculpture. Je trouve que c'est assez poétique. – f Je ne m'intéresse pas du tout à l'art contemporain. Moi, j'aime les impressionnistes. Cette sculpture me laisse complètement froide, je ne comprends pas le message de l'artiste.

12 a **G**aston adore l'art **c**ontemporain **g**rec. – b La **c**ulture, ce n'est pas le tru**c** d'A**g**laé. – c C'est une **g**rande s**c**ulpture qui **c**oûte un fri**c** fou. – d Les **g**osses ont ri**g**olé en re**g**ardant ce spe**ct**acle de danse **c**ontemporaine. –

e Cette gigantesque sculpture de gamine est une création ghanéenne. – f Ce sculpteur portugais est très connu et il crée des œuvres pour de très grandes galeries.

Leçon 30 ■ Manif...

1 a : 3 / la protection de leur profession – b : 4 / une meilleure formation dans les hôpitaux – c : 5 / conserver le mercredi sans école et réduire les vacances d'été – d : 2 / la suppression de la nouvelle taxe – e : 1 / l'arrêt des expulsions et la baisse des loyers

2 a souhaiter – b manifester – c marcher – d refuser – e exiger

3 a 6 – b 3 – c 5 – d 1 – e 7 – f 4 – g 2

4 solidarité – mesures sociales – mal-logés – expulsions – sans-papiers – régularisation – dialogue social – négociations

5 a Ils exigent la réduction du temps de travail. – b Il souhaite la suppression de la précarité. – c Nous demandons la baisse du prix des loyers. – d On exige le respect du droit du travail. – e Ils souhaitent l'ouverture des négociations.

6 a 8 (parce qu') – b 5 (que) – c 3 (parce qu') – d 7 (que) – e 1 (parce que) – f 6 (que) – g 2 (que) – h 4 (parce qu')

7 *Exemples de réponses possibles :* a Nous souhaitons que les Français parlent anglais ! – b Nous réclamons plus de vacances ! – c Nous voulons qu'il y ait plus de soleil. – d Nous exigeons que les élèves fassent leurs devoirs. – e Nous proposons la fin des cheveux longs.

8 *Exemple de production possible :*
Nous, piétons des grandes villes, en marche pour nos droits !
Nous, piétons, souhaitons que les voitures s'arrêtent aux passages piétons pour nous laisser traverser tranquillement et sans mettre notre vie en danger.
Nous proposons que la municipalité aménage les trottoirs pour les personnes qui se déplacent avec difficulté.
Nous réclamons qu'il y ait des mesures contre les automobilistes qui ne respectent pas les piétons.
Nous exigeons que les vélos ne circulent plus n'importe où sans respecter les panneaux.
Nous défilerons à Paris parce que nous ne voulons pas que les piétons disparaissent des villes.
Rejoignez-nous ! pietonsenmarche@gmail.com
À l'appel de Piétons/solidaires.

9 *Exemple de production possible :*
Le/la journaliste : Allez-vous participer à la marche de la semaine prochaine ?
L'étudiant(e) : Oui, bien sûr, c'est important de défendre nos droits.
Le/la journaliste : Quel est l'objectif de cette marche ?
L'étudiant(e) : Nous voulons alerter l'opinion publique de la précarité des étudiants.
Le/la journaliste : Les mesures que le gouvernement propose pour aider les étudiants ne sont pas suffisantes ?
L'étudiant(e) : Absolument pas ! Nous souhaitons qu'il aille plus loin en donnant plus d'argent aux universités.
Le/la journaliste : Vos revendications sont financières ?
L'étudiant(e) : Pas seulement. Nous réclamons aussi plus d'égalité entre les universités pour les cours et nous voulons que les universités multiplient les programmes internationaux.
Le/la journaliste : On parle aussi beaucoup du problème du logement. Que demandez-vous ?

L'étudiant(e) : Nous exigeons que le gouvernement construise des bâtiments où on peut vivre et étudier dignement.

10 *Intrus :* a force – b mal-logé – c gratuité – d réclamation

Leçon 31 ■ L'actu des régions

1 a la digue du large à Marseille – b Personne 1 : le point de vue sur la ville et sur le large (opinion positive) / Personne 2 : l'esprit méditerranéen des œuvres de Kader Attia (opinion positive) / Personne 3 : les œuvres de Kader Attia sont des « trucs en béton » (opinion négative) / Personne 4 : le coût des œuvres (opinion négative) / Personne 5 : les activités de loisirs : se promener, s'asseoir pour pique-niquer face à la mer (opinion positive) / Personne 6 : les activités de loisirs : se reposer, discuter entre amis ; le panorama (opinion positive)

2 a : Nom de l'événement : L'art à l'endroit / Lieu : Aix-en-Provence / Dates : du 12 janvier au 17 février / Nombre d'artistes : 11 / Nombre d'œuvres : 13 – b Marseille-Provence 2013. – c Dans une dizaine d'espaces de la ville. – d 2 / 3

3 a se reposer / marcher / le point de vue (photo 3) – b se promener / un panorama (photo 1) – c pique-niquer / discuter (photo 2)

4 a faire une promenade / marcher – b gratuite – c découvrir – d discuter – e panorama

5 a large – b digue – c Méditerranée – d port

6 a On aime venir pique-niquer dans ce parc. – b Vous pouvez aller discuter sur la digue. – c Ils préfèrent partir découvrir la ville. – d Je voudrais aller visiter Marseille. – e Tu peux venir marcher avec moi.

7 a du – b de – c de – d à – e du

8 a à / à – b par / en – c en / en – d en / en

9 a Hier soir, nous sommes allés au restaurant avec des amis. – b Il parlera au directeur du musée demain. – c J'ai vu l'exposition que tu m'as conseillée. – d Elle a détesté le livre que je lui ai prêté. – e Le musée est ouvert au public depuis un an. – f De cet endroit, on peut profiter du panorama. – g J'aime écouter le bruit de la mer. – h D'ici, on bénéfice du point de vue sur la nature.

10 *Exemples de réponses possibles :* a Coucou ! Je suis à l'hôtel. De la fenêtre de ma chambre, j'ai un panorama magnifique à la fois sur le parc et sur la ville. Je t'embrasse. – b Salut ! On est bien arrivés. On un point de vue incroyable à la fois sur la mer et aussi sur la montagne. Bise !

11 *Exemple de production possible : Les Deux Plateaux*, l'œuvre monumentale de l'artiste contemporain Daniel Buren dans la cour du Palais-Royal à Paris, est constituée de 260 colonnes en marbre noir et blanc qui évoquent l'architecture grecque antique. 3 000 m² de promenade et d'espace pour se reposer ou se retrouver entre amis. Les visiteurs peuvent s'asseoir sur les colonnes ou se promener dans cette cour où on bénéficie à la fois d'un point de vue sur l'œuvre moderne et poétique de Buren, et aussi d'un point de vue sur l'architecture ancienne du Palais-Royal. L'accès se fait à pied par la place Colette.

12 [t] : b / c / e / f – [d] : a / d

13 a L'histoire de la semaine, c'est la réouverture de la digue du large sur le port autonome. – b Les touristes trouveront sept kilomètres de promenade en face de la Méditerranée. – c Cette sculpture-architecture est une

15

œuvre monumentale constituée de trois îlots. – d Le visiteur pourra marcher sur de gigantesques blocs en béton. – e À l'extrémité du port, vous viendrez peut-être discuter entre amis.

Bilan

1 a 2 – b Il l'adore. / Il est magnifique. / Il est original. – c 3 – d Elle est inquiète parce qu'elle n'est pas sûre de garder son travail au musée. – e 2
2 a F – b V – c V – d F – e F
3 *Exemple de production possible :*
ALEX : Oh, c'est amusant, ces statues au pied des arbres !
JUSTINE : Tu aimes ? C'est l'œuvre d'un artiste catalan très connu, Jaume Plensa. Tu peux voir ses statues dans plusieurs endroits de la ville. C'est une exposition formidable.
LUDO : Tu rigoles, une vraie catastrophe ! Le jardin n'a pas besoin de ces statues horribles. Je suis sûr qu'elles n'intéressent personne.
MARGOT : Je suis d'accord avec toi. Je ne les trouve pas très belles. Le jardin est mieux sans.
JUSTINE : Pour moi, elles sont magnifiques et elles vont très bien dans le paysage. C'est poétique... Ça surprend, mais le message de l'artiste est évident : ces hommes assis ne disent rien mais observent les gens de la ville.
LUDO : Un message ? Non, tu vois, l'art contemporain, moi, ça me laisse froid. Et toi, Alex, tu en penses quoi ?
ALEX : C'est sympa. L'idée est simple mais originale. Et c'est la culture pour tous, c'est gratuit...
4 a On supprime de plus en plus d'emplois dans les musées. / Le chômage augmente. / Les emplois proposés sont souvent à temps partiel et précaires. / Les musées proposent de plus en plus de CDD. – b Ils demandent que la précarité soit bannie de l'univers de la culture et le respect du droit du travail pour tous. – c Pour se faire entendre et ouvrir le dialogue avec le ministre de la Culture.
5 *Exemple de production possible :* À Bordeaux, où je suis venu voir mon amie Margot, il y a une exposition des œuvres d'un artiste contemporain qui s'appelle Jaume Plensa. Cette exposition n'est pas dans un musée, mais dans toute la ville ! Tout le monde peut les découvrir en se promenant tout simplement dans les rues et dans les jardins. C'est la culture pour tous ! Dans un jardin, il y a les sculptures de sept hommes assis au pied des arbres. Sur une place, on peut voir une tête monumentale. Ça surprend un peu, mais c'est très poétique et très beau. Et je trouve très chouette l'idée d'organiser une exposition dans la ville : ça permet de visiter la ville et de découvrir des œuvres d'art.
6 *Exemple de production possible :* Nous, étudiants en histoire de l'art, organisons cette marche parce que nous refusons la fatalité du chômage. Nous demandons que le ministère de la Culture nous reçoive et écoute nos revendications. Nous réclamons que le gouvernement crée des postes en CDI dans la culture parce que nous ne voulons plus de travail précaire et d'emplois en CDD. Nous voulons pouvoir continuer nos études et travailler en même temps. Il faut donc qu'on nous aménage des horaires de travail spécifiques.

Faits et gestes / Culture

Dossiers 7 et 8

1 a 4 – b 1 – c 3 – d 2
2 1 : photo e – 2 : photo g – 3 : photo c – 4 : photo d – 5 : photo f – 6 : photo b – 7 : photo a
3 *Réponses possibles :* photo a : charmant / poli – photo b : sérieuse / autoritaire – photo c : drôle / amusant – photo d : stressée – photo e : sérieux – photo f : autoritaire / amusante / drôle – photo g : douce / triste
4 Loire – 14ᵉ – Stéphanois – vente – mines – innovation – design – ville du design – 180 438
5 b – c – e – f
6 a F – b V – c F – d V – e V

DELF A2

Compréhension de l'oral

1 1 Parce que c'est le jour des promos. – 2 b – 3 a – 4 595 € – 5 Il suffit de la demander aux vendeurs.
2 1 c – 2 Au 5ᵉ / cinquième étage. – 3 Deux / 2. – 4 Grand et lumineux. – 5 06 55 28 85 42.
3 1 Parce qu'elle plaît aux enfants. – 2 c – 3 Deux réponses parmi : je me découvre, je sais faire, je me repère, tous ensemble, j'expérimente. – 4 Les techniques modernes de communication. – 5 Parce que l'entrée est gratuite.
4 1 b – 2 c – 3 a – 4 d

Compréhension des écrits

1 a 4 – b 1 – c 2 – d 5 – e 3
2 1 b – 2 Elle partira une heure plus tôt de son bureau. – 3 Elle aidera les enfants de Paul à faire leurs devoirs. – 4 b – 5 Il ira chercher ses enfants chez Jeanne.
3 1 Des gestes simples à faire chez soi pour économiser l'énergie (ou toute autre réponse équivalente). – 2 C'est plus rapide et on gaspille moins d'eau. – 3 Utiliser un verre d'eau (pour ne pas laisser couler le robinet). – 4 Photo a : 16 °C / Photo b : 19 °C / Photo c : 21 °C – 5 a Baisser la température des radiateurs. / b Aérer pendant 10 minutes.
4 1 Du projet des capitales européennes de la culture 2014. – 2 Illustrer la richesse et la diversité des cultures européennes. – 3 c – 4 a V (« Elles doivent se montrer originales dans leur proposition de programmation afin d'obtenir le titre de capitale européenne de la culture. ») / b F (« [...] et ces projets resteront. »)